Kiel, den 22. August 1992

"Jammer für Dich
Nie für Dich allein
Jammer!" (Jörn Pfennig)

Möge Eure Liebe Euer Band
aber nie Eure Fessel sein!

Monea & Eilert

ELKE HEIDENREICH

Kolonien der Liebe

ERZÄHLUNGEN

ROWOHLT

1.–85. Tausend März bis Mai 1992
86.–115. Tausend Juni 1992
Copyright © 1992 by Rowohlt Verlag GmbH,
Reinbek bei Hamburg
Einband- und Schutzumschlaggestaltung
von Barbara Hanke
Foto: Isolde Ohlbaum
Alle Rechte vorbehalten
Gesetzt aus der Goudy (Linotronic 500)
Gesamtherstellung Clausen & Bosse, Leck
Printed in Germany
ISBN 3 498 02911 8

Inhalt

Die Liebe 9

Der Hund wird erschossen 28

Das Dööfchen 44

Kleine Reise 57

Apocalypse Now 75

Erika 96

Dein Max 121

Winterreise 134

Das Herz kaum größer als
die Leichenfaust 154

$C_6H_5(NH_2)CH_3$ = chemische Substanz,
die im Gehirn das Liebessyndrom auslöst –
entdeckt von Michael Liebowitz / USA.

Die Liebe

Mein erster Freund hieß Hansi. Er hatte dünnes braunes Haar, große erschrockene Augen und einen kleinen Spitzmausmund, und ich hatte mich in ihn verliebt, als er mir im Bus auf der Heimfahrt von einer evangelischen Jugendfreizeit die Geschichte vom Schulfreund erzählte, der sich vor seinen Augen vom Kölner Dom gestürzt hatte. Wir saßen ganz hinten im Bus. Hansi griff nach meiner Hand und sagte: «Ein Teil der Klasse ist auf den Dom gestiegen, die andern sind unten geblieben, ich auch. Und da kam er plötzlich angesegelt.»

Wir fuhren gerade durch Hagen im Sauerland. Es war sechs Uhr abends, es regnete, und wir waren vierzehn Jahre alt. Den Kölner Dom kannte ich von Postkarten, und Hansi beschrieb jetzt, wie der Körper durch die Luft gefallen war wie ein dunkler Vogel, sich drehte, aufschlug, wie es krachte, das Blut spritzte, die Menschen schrien. «Bis an mein Hosenbein ist es gespritzt», sagte Hansi, seine Hand war kalt, und ich küßte ihn mitten auf seinen Mäusemund und dachte mir, wie es gewesen wäre, wenn meine dicke Mutter vom Kölner Dom gesprungen wäre.

Ein bißchen grauste mir bei dem Gedanken, aber ich stellte mir das gewaltige Spektakel und die aufregenden Folgen vor. Ich wäre damals meine Mutter sehr gern irgendwie losgeworden. Sie hatte immer schlechte Laune und so eine Art, mir mit nassem Spuckefinger Flecken im Gesicht wegzuwischen, mir beim Waschen zuzusehen und mit mir in einer Sprache zu reden, als wäre ich der Hofhund: «Los, hopp, jetzt aber, ab in dein Zimmer, ich will nichts mehr hören, noch ein Wort, Sonja, und es knallt.» Wenn mich damals jemand fragte: «Was willst du denn mal werden, Sonja?», antwortete ich meist: «Waisenkind», und wirklich war das mein größter Wunsch. Ich las alle Bücher, die vom Schicksal der Waisenkinder handelten und beneidete Waisenkinder glühend. Natürlich gab es da zunächst durchweinte Nächte und Qualen des Herzens, aber ich stellte doch rasch fest, daß es später im Leben kaum jemandem so gut ging wie gerade diesen als Kind so unglücklichen Waisen. Reichlich machte ein großherziger Onkel meist die Prügel sadistischer Nonnen im Waisenhaus wieder gut, ein verlockendes Erbe wartete, oder die verstorbene Mutter hatte plötzlich noch eine grundgute Schwester, die sich um das verlassene Kind kümmerte und es großartig behandelte, und aus Waisenkindern wurden in der Regel geachtete, gütige Mitglieder der Gesellschaft, die den Peinigern ihrer Jugend hochherzig verziehen. So weit wollte ich es allerdings nicht kommen lassen. Verzeihen wollte ich nicht, und sollte ich am Jüngsten Tag meine dicke Mutter im Himmel oder in der Hölle wiedertreffen und sie würde mir mit Spucke im Gesicht herumreiben und sagen: «Wie grauenhaft du immer aussiehst, Sonja», dann würde ich mich abwenden wie einst Jesus von Maria und sagen: «Weib, was habe ich mit dir zu schaffen?» Meine Mutter war sehr blond, sehr stabil und kerngesund. Mein Vater trieb sich mit jungen Brünetten herum, war sportlich und trank Sekt für seinen Kreislauf. Die Aussicht, Waisenkind zu werden, war gering.

Außer Waisenkind wäre ich am zweitliebsten tot gewesen.

Oft hielt ich die Luft an, bis ich schon ganz blau im Gesicht wurde, aber im letzten Moment kam mir immer das Atmen dazwischen. Einmal habe ich mich auf die Zugschienen gelegt und mir vorgestellt, wie die Familie weinend an meinem Sarg stehen und endlich begreifen würde, daß ein Kind auch ein Mensch ist, aber es kam kein Zug, und schließlich war es mir zu kalt geworden. Der Sturz mit verbundenen Augen von der steinernen Kellertreppe brachte zwei Klammern im Kinn, ein zerschmettertes Knie, drei Wochen Krankenhaus und ein paar Ohrfeigen von meiner Mutter, die sich wieder einmal darin bestätigt sah, daß ein Kind ein emanzipiertes Frauenleben gründlich und für alle Zeit verdirbt.

Hansi erzählte mir die Geschichte vom Kölner Dom noch vier-, fünfmal, dann wurde es langweilig, und ich verliebte mich in Rölfchen. Rölfchen war klein, kräftig, hatte strahlendblaue Augen und roch so gut, daß ich später im Leben einmal mit einem Mann für eine Nacht mitgegangen bin, nur weil er genauso roch. Damals wußten wir von solchen Leidenschaften noch nichts, aber ich schnupperte an Rölfchens Hals, und er küßte mich und sagte: «Du riechst aber auch toll», und das waren dann die Pröbchen aus der Drogerie – «Je reviens» oder «Soir de Paris».

Rölfchen und ich saßen nachmittags in unserem Wohnzimmer, weil meine Eltern berufstätig waren. Wir hörten Radio und tranken Eckes Edelkirsch aus geschliffenen Likörgläsern, rauchten Muratti Kabinett und lasen uns aus «Vom Winde verweht» die Stelle vor, wo Rhett Butler Scarlett O'Hara auf seinen starken Armen die Treppe hochträgt. Und dann? Wir waren so sehr auf der Suche nach der Liebe, und wenn meine Mutter abends von der Arbeit kam, hatte ich verräterische hochrote Wangen. Der Aschenbecher war gespült, die Gläser standen im Schrank, das Zimmer war gelüftet, aber sie sagte:

«Mir machst du nichts vor, Sonja, hüte dich», und beauftragte Frau Markowitz zu kontrollieren, wen ich tagsüber mit nach oben brächte. Frau Markowitz wohnte Parterre links und hatte immer die Wohnungstür angelehnt, um mitzukriegen, was im Haus so vor sich ging. Wir warteten im Kellereingang, bis ihr Mann einen Hustenanfall bekam und sie an sein Bett lief, dann konnten wir schnell an ihrer Tür vorbei nach oben huschen. Gregor Markowitz hatte sich auf Zeche Helene Amalie eine Staublunge geholt und starb nun schlechtgelaunt zu Hause vor sich hin. Er brüllte seine Frau an und schlug sie, wenn sie in Reichweite war, um sich für irgendwas zu rächen. Und sie rächte sich an mir, indem sie meiner Mutter sagte: «Ich glaube, die Sonja sitzt mit so einem Bengel halbe Tage da oben allein, richtig ist das nicht, oder? Und wenn ich klingel, machen sie nicht auf.»

Ich gewöhnte mir damals an, nicht mehr zurückzuzucken, wenn die Hand meiner Mutter niedersauste, ich weinte auch nicht mehr. Ich hielt ganz still und dachte: das kriegt sie alles wieder, und ich träumte von der Liebe. Es MUSSTE sie einfach geben, das sah man ja an Rhett Butler und Scarlett O'Hara, und mit Rölfchen fühlte ich mich auch sehr wohl – aber war das schon die Liebe?

Meine Freunde wechselten in rascher Folge, ich legte auch Kußlisten an. Ich war ganz rasch bei Nr. 36, denn ich küßte, was mir in die Quere kam – ein Pfarrerssohn war dabei und ein Drogist, ein Angestellter in einer Eisenwarenhandlung, der achtzehn Jahre älter war als ich, und ein Franzose mit einem grünen und einem braunen Auge, den ich in der Jugendherberge kennenlernte. Beim Jahreswechsel übertrug ich die Kußdaten mit den dazugehörigen Initialen in mein neues Tagebuch. Leider konnte ich die Namen nicht ausschreiben, denn es gab nichts zum Abschließen, und meine Mutter schnüffelte hinter allem her und las auch mein Tagebuch, wann immer sie es fand. Deshalb wußte ich schon im Februar nicht mehr, wer am 14. August P. W. gewesen war – vielleicht der Schwammhändler aus Bremen, den ich in der «Venezia»-Eisdiele kennengelernt hatte und mit dem ich in «Toxi» war? Nach dem Film «Toxi» wäre ich übrigens sehr gern auch Negerkind geworden, ein interessantes, tragisches Schicksal, das mit Verkennung und Verachtung beginnt und mit Liebe endet – aber Negerkind zu werden war natürlich völlig aussichtslos, dann schon eher Waise, aber inzwischen wollte ich eigentlich auch nur noch so rasch wie möglich erwachsen werden, viel Geld verdienen, von zu Hause weggehen, nie mehr wiederkommen und endlich die Liebe kennenlernen.

Meine Mutter sagte immer: «Hör du bloß auf mit deinen saublöden Liebesgeschichten und mach lieber deine Schularbeiten.» Die Liebe, behauptete sie, sei ein Scheißdreck, ein einziger gigantischer Schwindel, und ich solle mir doch nur meinen Vater ansehen.

Ich hatte selten Gelegenheit dazu, mir meinen Vater anzusehen – er war fast nie da. Ich hörte ihn manchmal leise heimkommen, wenn ich schon im Bett lag und im dunklen Zimmer davon träumte, wie wunderbar das Leben werden würde, wäre ich nur hier erst raus. Morgens, wenn ich zur Schule ging, waren meine Eltern beide schon weg. Mein Vater ging ganz früh aus dem Haus, und meine Mutter kam in Hut und Mantel kurz vor sieben Uhr in mein Zimmer, riß die Fenster weit auf, zog mir die Bettdecke weg, steckte sie in den Kleiderschrank, drehte das Licht an und sagte: «Raus aus dem Bett. Sieben Uhr. Ich geh jetzt.» Danach knallte die Wohnungstür, weg war sie, und ich blieb noch einen Augenblick frierend liegen und versuchte, meine Füße unter mein Nachthemd zu stecken. Dann wurde es mir endgültig zu kalt, ich stand auf und wusch mich in der Küche. Nebenher aß ich das Leberwurstbrot, das meine Mutter mir hingelegt hatte, und dann ging ich zur Schule. Sonntags war mein Vater manchmal zu Hause. Er lag dann auf dem Küchensofa, eine Zeitung über dem Gesicht, wohl um uns nicht sehen zu müssen, und hörte die Sportberichte im Radio. Ich saß am Tisch über meinen Schulaufgaben, aber in Wirklichkeit schielte ich zu ihm hin – er hatte schöne kleine Hände und trug auch im Haus immer tipptopp gebügelte, blauweiß gestreifte Hemden, die er in einer Wäscherei waschen und bügeln ließ, weil meine Mutter sagte: «Sonst noch was.» Einmal hatte er sie gebeten, ihm einen Knopf anzunähen, und sie hatte geantwortet: «Laß das doch eins von deinen Flittchen machen», und damit war der Fall ein für allemal erledigt. Manchmal kitzelte ich meinen Vater am Fuß – er trug immer dunkelblaue Baumwollsocken –, und dann wackelte er mit den Zehen und sagte unter seiner Zeitung hervor: «Wer kann das wohl gewesen sein?», und meine Mutter zog mich an den Haaren und sagte: «Laß das gefälligst.» Sie klapperte möglichst laut in der Küche herum, und schließlich nahm er die Zeitung vom Gesicht, zwinkerte mir kurz zu, seufzte, zog seine Schuhe wieder an und ging. Ich sah ihn selten, aber er roch gut, war freundlich mit mir und schlug mich nie. Ich weiß noch, daß mein Vater, obwohl er eher klein und zierlich war und schütteres Haar hatte, eine unerklärlich starke Wirkung auf Frauen ausübte – sie sahen ihn jedenfalls entzückt an, fanden ihn charmant und sagten: «Walter, was du für schöne blaue Augen hast». Auf meine Mutter hatte er diese Wirkung natürlich nicht, oder vielleicht nicht mehr, denn irgendwann muß da ja mal was gewesen sein, dachte ich, sonst könnte es mich doch nicht geben. Aber als ich einmal an einem ziemlich friedlichen Abend, als im Radio ein Hörspiel mit René Deltgen lief, dessen Stimme meine Mutter mochte, so ganz nebenbei die Frage stellte: «Du und Papa, habt ihr euch eigentlich früher geliebt?», da stand meine Mutter abrupt auf, drehte das Radio aus und sagte: «Marsch ins Bett, Sonja, und keine blöden Fragen bitte.»

In dieser Familie bekam man einfach nichts erklärt, und die Liebe war hier gänzlich unbekannt, soviel war mir inzwischen klar.

Eines Sonntagnachmittags kam ich aus der Eisdiele, wo ich einen rothaarigen Geiger geküßt hatte, und schon von weitem sah ich, daß bei unserem Haus etwas los war. Aus dem zweiten Stock, wo wir wohnten, flogen Gegenstände auf die Straße: ein paar Schuhe, der eine hierhin, der andere dorthin, eine Jacke breitete ihre Ärmel aus und trudelte zu Boden, eine Hose mit flatternden Beinen folgte, ein paar gefaltete, gebügelte Hemden kamen nach. Unten stand mein Vater, sammelte alles auf und rief: «Hilde, nun laß es doch!», und oben sah ich die Hände meiner Mutter, wie sie Socken und Unterwäsche aus dem Fenster schleuderten, und ich hörte ihre Stimme: «Laß dich ja nicht mehr hier blicken!» Die Markowitz stand bei meinem Vater, half ihm aufsammeln und sagte: «Mein Gott, so vor allen Leuten, die hat sie ja nicht alle, Ihre Frau», und mein Vater sagte, als ich näher kam: «Sonja, geh ins Haus.» Ich blieb aber stehen und sah zu, wie er die Sachen in sein Auto trug, sie auf den Rücksitz warf und einstieg. Dann kurbelte er noch mal das Fenster runter, sah mich an mit seinen blauen Augen, grinste ein bißchen und sagte: «Das war's dann wohl. Sie will es ja nicht anders. Laß dich nicht unterkriegen, Sonja, ich komm ab und zu mal vorbei.»

Er fuhr ab, und ich habe ihn erst acht Jahre später wiedergesehen, als er tot und blau angelaufen in der Leichenhalle aufgebahrt lag und eine junge Frau um ihn weinte und seine Hand hielt. Als ich dazukam, zog sie ihm den Siegelring ab, den er von seinem Vater geerbt hatte und immer am kleinen Finger trug, gab ihn mir und sagte: «Der ist für dich.» Jahre später habe ich diesen Ring in einem Hotel liegenlassen und nicht wieder zurückbekommen.

Mein Vater hatte uns nun also verlassen, und kurz darauf wurde meine Mutter krank und mußte für Wochen in eine Klinik. «Waisenkind!» dachte ich, aber inzwischen war das Zimmer meines Vaters schon an eine Lehrerin vermietet, die Befehl hatte, auf mich aufzupassen. Die Lehrerin hatte ein Verhältnis mit einem verheirateten Mann, das sie so in Anspruch nahm, daß das Aufpassen ziemlich flüchtig ausfiel. Er kam nur am Wochenende – er lebte in einer anderen Stadt –, und dann gingen sie von Samstag auf Sonntag in ein Hotel. Das hatte meine Mutter sich ausbedungen – «Wegen dem Kind». In der Zeit saß ich in ihrem Zimmer und las die Briefe, die der verheiratete Mann ihr schrieb und mit denen sie sich Abend für Abend zurückzog, nie ohne zwei Flaschen Wein dazu zu trinken. Die Briefe waren zwischen ihrer Wäsche versteckt und mit Schreibmaschine geschrieben, deshalb konnte ich sie leicht lesen. «Mein Hase», schrieb er, «mein einziger Hase, du, mit deinem weichen Fell, an das ich denke und in das ich meine Nase stecken möchte.» Die Lehrerin hatte struppiges braunes Haar, das nicht nach Hasenfell aussah, aber wahrscheinlich verdrehte die Liebe die Tatsachen.

Leider wurde meine Mutter wieder gesund und schlug zu wie eh und je. Sie und die Lehrerin saßen stundenlang abends in der Küche und redeten über die Männer, und der Geliebte brachte an den Wochenenden scheußliche Geschenke mit – langstielige Nelken mit Zittergras, ein Pfund Bohnenkaffee, ein *Westermanns Monatsheft* von Borkum oder eine große

Flasche Uralt Lavendel, die die Lehrerin meiner Mutter schenkte, weil sie dagegen allergisch war. Meine Mutter, die extrem geizig war, hatte eine Schublade, in der solche Geschenke verschwanden und bei Gelegenheit weiterverschenkt wurden. Weihnachten sagte dann Tante Gerta angesichts der Flasche Uralt Lavendel: «Mein Gott, Hilde, das wär doch nicht nötig gewesen», und meine Mutter sagte: «Laß nur, Gerta, es ist ja schließlich Weihnachten.»

Tante Gerta lebte allein und hatte nie einen Mann gehabt. In meiner ganzen Familie gab es nicht eine einzige richtige Ehe: der Mann von Tante Rosi war im Krieg gefallen, Onkel Otto war Witwer, Tante Maria saß im Rollstuhl, und Onkel Hermann mußte sie waschen und füttern. Meine Kusine Ludmilla hatte ein uneheliches Kind von einem Rechtsanwalt und lebte bei Tante Rosi, und Onkel Heinz und Tante Tussi redeten seit Kriegsende nicht mehr miteinander. Sie schrieben sich manchmal unumgänglich wichtige Mitteilungen wie «Neuer Krankenschein fällig» oder «Heizung ist kaputt» auf kleine Zettel, aber sie hatten beschlossen, aus welchem Grund auch immer, nie mehr miteinander zu reden und halten das, glaube ich, noch heute durch. Aber vielleicht sind sie auch inzwischen tot, ich weiß es nicht, ich habe zu dieser Familie keinen Kontakt mehr.

Die Liebe war also da nicht zu finden für ein inzwischen fast fünfzehnjähriges Mädchen – aber dann kam James Dean.

Nein, vor James Dean kam Irma, und Irma war meine erste richtige Freundin.

Irma war aus Tübingen in unsere Stadt gekommen und in meiner Klasse gelandet, bei diesen dummen reichen Mädchen und den häßlichen alten Lehrerinnen, die uns mit Linealen auf die Arme schlugen und von ihren Verlobten träumten, die allesamt im Krieg gefallen waren. Irma setzte sich neben mich, und wir verstanden uns vom ersten Tag an. Wir konnten über alles miteinander reden, über das Leben und die Liebe, über Gedichte und Katzen, über die Schule und das Älterwerden und warum man einen Busen haben mußte und über die Träume, die wir für unser Leben hatten. Nur über meine Probleme mit meiner Mutter konnte ich mit Irma nicht reden, denn immer wenn ich damit anfing, riß sie die Augen auf und sagte: «Aber es ist doch deine MUTTER!» Ich konnte ihr einfach nicht klarmachen, daß das nichts bedeutete und daß ich es mit einem Feind zu tun hatte. Irmas Mutter war ganz anders. Sie war jung und immer gutgelaunt, lag bis mittags im Bett, trank Kaffee, rauchte und las Illustrierte. Oft ging ich nach der Schule mit Irma nach Hause – bei uns war ja sowieso nie jemand –, und dann rief sie: «Was, verdammt, ist das schon wieder so spät?» Sie gab Irma einen Kuß und mich ließ sie an ihrer bernsteinfarbenen Zigarettenspitze ziehen. Dann stieg sie seufzend aus dem Bett, reckte sich, gähnte laut und verschwand im Bad, von wo wir sie laut singen hörten: «Solang noch nicht die Hose am Kronleuchter hängt, sind wir noch nicht richtig in Schuß, solang noch nicht die Hose am Kronleuchter hängt, da schmeckt uns kein Sekt und kein Kuß!» Irma und ich brieten uns in der Küche Spiegeleier, und auf dem Tisch saß die dicke Katze Pepi und leckte die Teller blank. Meine Mutter haßte Tiere, und bei uns zu Hause wurde nicht geküßt, nicht geraucht und nicht gesungen. Irgendwann kam dann Irmas Mutter aus dem Bad und rief: «Na?» und stemmte die Hände in die Hüften. Sie sah toll aus: sie trug ein geblümtes Kleid, hatte die Haare hochgesteckt und hochhackige Schuhe angezogen, sie war geschminkt und roch nach Puder und Parfüm. So wollte ich auch werden, wenn ich nur endlich erwachsen wäre. Irmas Mutter setzte einen Hut auf, nahm eine Tasche und ging zum

Einkaufen, und Irma und ich lagen auf dem Wohnzimmerteppich und redeten über die Liebe. Irma träumte von einem ganz besonderen Mann, mir war jeder recht, der mich von zu Hause weggeholt hätte, und wenn Irmas Mutter vom Einkaufen zurückkam, fragten wir sie über die Männer aus. Sie lachte und sagte: «Liebe macht schön!» oder «Männer sind eine wunderbare Angelegenheit», aber das brachte uns auch nicht weiter. Dann zog sie das geblümte Kleid aus und einen violetten Morgenrock aus Satin an, steckte sich eine neue Zigarette in die bernsteinfarbene Spitze und spielte mit uns Karten. Pepi lag auf ihrem Schoß und schnurrte, und ich fragte: «Können Sie mich nicht adoptieren?» Aber abends mußte ich wieder nach Hause, zu Wirsing durcheinander mit Mettwurst. Meine Mutter kochte immer für den Tag vor, und ich hatte nur dafür zu sorgen, daß die Sachen rechtzeitig im Klo verschwanden, ehe sie von der Arbeit kam. Dabei mußte man aufpassen, daß die Mettwurst- oder Speckstückchen nicht oben schwammen, aber ich hatte schon Routine, und es sah immer so aus, als hätte ich alles aufgegessen. Meine Mutter sah zufrieden in die leeren Töpfe und sagte: «Na bitte, es geht doch!», und ich dachte: «Wenn du wüßtest. Es geht eben nicht.» Und dann ging ich früh ins Bett, um zu lesen, aber auch, damit wir nicht wieder Streit bekamen. Ich las alle Bücher, in denen etwas mit Liebe vorkam, besonders aufmerksam, aber es war kein System zu erkennen, wie Liebe denn nun funktionierte. Irmas Mutter lachte über uns und fand, wir könnten uns ruhig noch ein bißchen Zeit lassen, das käme alles früh genug, «und hoffentlich», sagte sie einmal, «verliebt ihr euch nicht mal in denselben, sonst gibt es Mord und Totschlag!» So ähnlich kam es dann ja auch, aber ohne Mord und Totschlag, und trotzdem blieb ich allein zurück.

Bei Irma zu Hause gab es keinen Vater. Er war aber nicht eines Tages einfach verschwunden, es hatte nie einen gegeben, und aus Irmas Mutter war nichts herauszukriegen. «Aus und vorbei», war ihr einziger Kommentar, wenn Irma danach fragte. «Du hast mich, mein Schatz, das muß dir genügen.» – «Waren Sie denn in ihn verliebt?» fragte ich, und sie verdrehte die Augen, nahm einen Schluck Kaffee und sagte: «Das will ich meinen.» – «Wenn es wirklich die Liebe ist», fragte ich, «woran merkt man das denn dann?» – «An allem», sagte sie und sah lange aus dem Fenster.

Eines Nachmittags im April 1955 ging Irmas Mutter mit uns ins Kino. Es war ein Mittwoch, es war sechzehn Uhr, das Kino hieß Lichtburg und der Film «Jenseits von Eden». In dem Film kämpften zwei Brüder um die Liebe ihres Vaters und um die Liebe eines Mädchens namens Abra. Der eine der beiden Brüder hieß Cal, und wir hielten zwei Stunden lang die Luft an. Hier war sie, endlich, hier war die Liebe: Cal hatte ein Gesicht, weich und hochmütig, verletzlich, reizbar, mürrisch, sensibel, er konnte weinen und war doch ein Mann, der schönste Mann, den wir je gesehen hatten, und auch der erste neben all den Jungen, die wir küßten und kannten. Als wir aus dem Kino kamen, waren wir keine kleinen Mädchen mehr, und Irmas Mutter wischte sich die Augen, atmete tief und sagte: «Das war James Dean.»

An diesem Abend ging ich nicht nach Hause. Ich saß mit Irma in der dunklen Küche, während ihre Mutter längst schlief, und wir redeten über Cal, wir wollten einen Bruder einen Liebsten, einen Freund, einen Vater wie ihn. Wir weinten und liefen hin und her, wir entwarfen einen Brief an ihn, wir verfluchten Aron und den Vater, der nichts, nichts verstand, wir waren erschüttert, überwältigt, verliebt, getröstet: das, wonach wir immer gesucht hatten, gab es, gleichgültig, ob auf einer Kinoleinwand oder irgendwo in Amerika – es gab diesen James Dean, und er stand vielleicht gerade an eine Wand gelehnt, hatte die Augen geschlossen und fühlte und dachte dasselbe wie wir.

Ab sofort interessierten uns die Jungen aus der Schule, aus der Eisdiele, aus der Tanzstunde nicht mehr, die wie eckige Kälber um uns herumstanden, und als mein derzeitiger Freund Christian mir einen selbstgehämmerten flachen Kupferring mit seinen Initialen schenkte, trug ich ihn zwar, ritzte aber innen mit einer Nagelschere J. D. ein und erzählte das nur Irma. Irma wurde immer stiller. Sie verzehrte sich nach James Dean, aber ich hatte eher das Gefühl, nach James Dean als Vater, während ich ihn mir vorstellte als Liebhaber à la Rhett Butler, der mich schwindelnde Treppen hochtrug, und unten stand meine Mutter und schrie: «Was machen Sie da mit meiner Sonja?», und James Dean drehte sich um und sagte: «Das ist nicht Ihre Sonja, Madame, das ist jetzt meine Sonja.» Solche Träume machten mich glücklich, aber Irma träumte anders. Sie war nicht mehr zufrieden nur mit ihrer Mutter, sie wollte immer mehr über ihren Vater wissen, und eines Tages, als wir Pfannkuchen mit Zucker und Zimt buken, sagte Irmas Mutter leichthin: «Also, dein Vater war ein bißchen so wie James Dean. Etwas größer, aber so die Art. Wir waren nur einen Abend zusammen, und danach habe ich ihn nie wiedergesehen.» Sie stand am Herd, drehte sich um und hatte ganz dunkle Augen: «Irma», sagte sie, «ich versprech dir, daß ich dir das alles ganz genau erzähle. Aber noch nicht jetzt. Bitte.» Und wir sagten nichts mehr und würgten an den Pfannkuchen herum, oh, hätte sie doch nicht gesagt, der Vater sei ihm ähnlich gewesen...

In Filmzeitungen verfolgten wir die Affären und Liebesgeschichten von James Dean, die Dreharbeiten von «... denn sie wissen nicht, was sie tun» und «Giganten». Wir versuchten, wie Natalie Wood, Liz Taylor oder Pier Angeli auszusehen, und wir gingen mehr als zehnmal in «Jenseits von Eden» und kannten jeden Satz.

Stundenlang spielten wir mit verteilten Rollen die Szenen aus dem Film nach, die uns am tiefsten beeindruckt hatten – wie Cal dem Vater ein Geschenk macht, und er nimmt es nicht an, wie Cal zum erstenmal die Mutter trifft und sie ihn fragt: «Was willst du eigentlich?» Das wissen Mütter ja wohl nie, die Mutter spielte ich, da kannte ich mich aus, und ich spielte auch Cal und lehnte mit mürrischem Gesicht, die Schultern hochgezogen, an der Wand, schräg von unten nach oben guckend, ein zaghaftes Grinsen im Gesicht. Irma war Abra und der Vater, der über Cal sagte: «Ich verstehe ihn nicht, ich habe ihn nie verstanden», und dazu setzte ich mein schmerzlichstes Stirnrunzeln auf und knurrte: «Hamilton, bestellen Sie meiner Mutter, daß ich sie hasse.» Ich war auch Aron, der gute Bruder, obwohl mir der nicht so lag, aber wir brauchten ihn für die Szene, in der er Abra-Irma erzählt, daß seine Mutter gleich nach der Geburt gestorben war, und Irma hauchte mit schmelzender Stimme: «Es muß furchtbar sein, wenn man keine Mutter gehabt hat.» – «Nein», sagte ich, «es muß toll sein. Es ist furchtbar, wenn man eine hat.» Und Irma fing an zu weinen und sagte: «Das gehört nicht zum Film, und du weißt gar nicht, wie furchtbar es ist, nie einen Vater gehabt zu haben.» Unsere Lieblingsszene war die Schlußszene, Abra und Cal am Sterbebett des Vaters, der noch im letzten Moment endlich vernünftig wird und merkt, was er an seinem Sohn Cal hat – ich hatte da in bezug auf meine Mutter nur wenig Hoffnung. Den Vater mußte Katze Pepi spielen und ganz still im Körbchen liegen, und wir beide knieten davor und umarmten uns und schluchzten, und Irma-

Abra sagte: «Vielleicht ist die Liebe ja so, wie Aron sie sieht, aber es muß doch auch noch mehr dran sein...», und ich stand dann auf, lehnte mich wieder an die Wand, so wie dann auch Jett Rink später in «Giganten» lehnen sollte, und sagte düster: «Ich brauche überhaupt keine Liebe mehr, es kommt nichts dabei heraus. Wozu die Aufregung? Es lohnt sich nicht.»

Meist heulten wir dann beide ein bißchen, und Irma sprach über ihren Vater und ich über meine Mutter, und schließlich mußte ich nach Hause, wo meine Mutter mit der Lehrerin in der Küche saß, Reibekuchen aß und sagte: «Ach, kommt das Fräulein auch noch mal? Ich möchte wissen, wo du dich neuerdings dauernd rumtreibst, du wirst noch genau wie der Alte», und ich zitierte Cal und sagte bitter: «Du hast recht, ich bin schlecht, das weiß ich schon lange.» Meine Mutter war verblüfft und beschwerte sich bei der Lehrerin, sie würde aus mir nicht mehr schlau, und die Lehrerin meinte, das sei nur die Pubertät und das würde sich geben. An mir prallte alles ab, seit ich wußte, daß es in anderen Familien genauso schlimm zuging wie bei uns, seit ich wußte, daß es James Dean gab.

Irmas Mutter machte sich Sorgen, weil Irma so in James Dean verliebt war, noch mehr als ich. Ich hatte irgendwie das Gefühl, James Dean zu SEIN – zu mir sagte auch dauernd jemand «Wie du wieder aussiehst!» oder «Ich versteh dich einfach nicht» oder «Mit dir hat man nur Ärger», aber Irma hatte angefangen, ihr Leben geradezu nach James Dean auszurichten. Sie schrieb ihm täglich Briefe, sie begann ein Tagebuch, nur für ihn, sie paukte Englisch, um mit ihm reden zu können, wenn sie ihn in Amerika treffen würde, denn natürlich sparte sie jeden Pfennig für eine Reise, um ihn zu suchen und zu besuchen. Ich hatte das Gefühl, sie war fest entschlossen, ihn irgendwie heimzuholen in die Familie, in die er gehörte.

Am 30. September 1955 um siebzehn Uhr fünfundvierzig verunglückte James Dean tödlich in seinem Porsche. Damals gab es kein Fernsehen für schnelle Meldungen, zumindest hatte niemand in unserer Bekanntschaft einen Fernsehapparat. Radio hörten wir Kinder nur Mittwoch abends, wenn Chris Howland Harry-Belafonte-Platten spielte, und Zeitung lasen wir auch nicht. Ein, zwei Tage später muß es gewesen sein, daß mir in der Eisdiele plötzlich jemand sagte: «Hast du schon gehört, James Dean ist tot.» Ich werde nie vergessen, wie dieser Satz auf mich wirkte, ich glaube, daß ich nie in meinem Leben entsetzter, versteinerter, verzweifelter war als in diesem Augenblick – nicht, als mein Vater starb, nicht, als Jahre später am Heiligabend unser Haus abbrannte, weil meine Mutter gegen den Weihnachtsbaum getreten und ihn umgeworfen hatte, nicht, als ich meine Sachen packte und für immer ging – nie wieder war ich von einer so bodenlosen Traurigkeit. «James Dean ist tot.» Ich glaubte es auch sofort, zweifelte nicht daran, fühlte geradezu, daß er weg war, für immer, es wunderte mich nicht bei einem wie ihm. Immer habe ich die Tatsache, daß ich inzwischen über vierzig Jahre alt geworden bin, als persönliches Versagen empfunden. Als ich wieder einen anderen Gedanken als «aus weg vorbei nie wieder» denken konnte, dachte ich: Irma. Es war spät am Abend, weder sie noch ich hatten Telefon, ich mußte bis zum nächsten Morgen warten. In dieser Nacht schlief ich nicht, ich saß auf einem Stuhl am Fenster und sah den Betrunkenen zu, die aus der Kneipe gegenüber torkelten. Ich hätte mich auch gern betrunken, um in so einen Zustand weicher Fallmüdigkeit zu gelangen, um zu lallen, zu fallen, nichts mehr zu fühlen und zu wissen. Ich schlich mich an den Wohnzimmerschrank mit der beleuchteten Bar und holte mir die Flasche Sherry. Es schmeckte mir nicht, aber es tat gut, wärmte, machte ein Wattegefühl im Kopf und eine pelzige schwere Zunge, und ich weiß nur noch, wie mich meine Mutter am Morgen fand, ich höre noch ihr Gezeter, fühle, wie sie mich hochreißt und ins Bett schiebt, dann muß ich lange tief geschlafen haben. Als ich wieder zu mir kam, war später Nachmittag und niemand zu Hause. Ich stand auf und wackelte ein wenig, ich fror, mir war schlecht, und ich wollte unbedingt ins Freie. Ich zog mich an, als wäre tiefster Winter, dabei schien die Herbstsonne, und das Laub fiel langsam von den Bäumen. Ich trat ein paar Kastanien vor mir her und dachte immer nur: «Was soll ich denn jetzt machen?» Das Leben konnte doch nicht einfach so weitergehen wie vorher? Der pickelige Holger aus der Parallelklasse kam mir auf dem Fahrrad entgegen, und ich betete, daß er mich nicht ansprechen möge, nicht der, nicht jetzt, aber natürlich bremste er scharf, stellte einen Fuß auf den Boden und sagte: «Ey, Sonja, hast du schon das von Hansi gehört?» Ich war an Hansi längst nicht mehr interessiert, fast war es mir sogar peinlich, eine Zeitlang mit ihm gegangen zu sein, wie man das damals nannte. Hansi war ein seltsamer Kauz, der mitten in Gesprächen plötzlich laut auflachte oder in Tränen ausbrach, und jedem erzählte er seine Geschichte mit dem Kölner Dom, wir konnten es schon alle nicht mehr hören. Ich ging einfach weiter, kickte eine Kastanie und überlegte, ob Irma wohl zu James Deans Beerdigung fahren und ihm all die Briefe und das Tagebuch ins Grab werfen würde, und die Tränen liefen mir übers Gesicht, ohne daß ich wußte, warum. «Ey», sagte Holger, «heulst du wegen Hansi?» Ich schüttelte den Kopf und fragte, um ihn abzulenken oder loszuwerden oder einfach nur quatschen zu lassen, damit ich meine Ruhe hatte: «Was ist mit Hansi?» – «In die Klapsmühle haben sie ihn gebracht», sagte Holger, «mit Blaulicht, gerade vor zwei Stunden. Er ist total durchgedreht, und weißt du, warum?» Armer Hansi, dachte ich, aber es wunderte mich auch nicht, seine kalten Hände, der kleine Mäusemund, die furchtsamen Augen – ganz normal war er wirklich nicht gewesen, genau deshalb hatte er mir ja damals irgendwie auch ganz gut gefallen. Ich zog den Ring mit den Initialen von Christian und James Dean vom Finger und ließ ihn heimlich in einen Gully fallen. «Warum?» fragte ich, und Holger sagte: «Man glaubt das überhaupt nicht, ist aber echt wahr, ey, direkt vor Hansi ist in der Gerswidastraße jemand vom Dach gesprungen, direkt vor seiner Nase, er soll ganz voll Blut gewesen sein, und dann soll er nicht mehr aufgehört haben zu schreien, bis sie ihn abgeholt haben. Zweimal im Leben so was, das ist ja auch ein Ding, oder?» Ich hatte plötzlich ganz weiche Knie und konnte nicht mehr stehen. Ich faßte nach Holgers Rad, lehnte mich an den Gepäckträger, und Holger sagte: «Was ist mir dir, du stinkst vielleicht nach Schnaps, bist du etwa besoffen?»

Endlich konnte ich kotzen und kotzte direkt auf Holgers Schuhe. Holger schmiß sein Rad hin und schrie und fluchte, rieb die Schuhe am Herbstlaub ab und krakeelte hinter mir her, aber ich ging oder torkelte oder bewegte mich irgendwie weiter und dachte immer nur: «Lieber Gott, wenn es Dich gibt: neinneinnein, bitte: nein.»

Aber es war Irma gewesen. Ich wußte es ja auch. Irma war auf den Speicher des Hauses Gerswidastraße 89 gegangen, in dem sie mit ihrer Mutter lebte, war durch ein Speicherfenster geklettert und in die Tiefe gesprungen, fünf Stockwerke eines Altbaus aus dem vorigen Jahrhundert sind hoch genug, um ein solches Vorhaben gelingen zu lassen. Sie hatte keinen Brief hinterlassen, kein Tagebuch, nichts.

Ich bin nicht zur Beerdigung gegangen, und Irmas Mutter habe ich nur noch einmal von weitem gesehen, zwei Jahre später. Sie trug keinen Hut und kein geblümtes Kleid. Ich kam gerade aus dem Kino und hatte «...denn sie wissen nicht, was sie tun» gesehen, in dem James Dean Jim Stark spielt. Als der kleine Plato ihn fragt: «Wann, glaubst du, wird das Ende der Welt kommen?», antwortet Jim: «Nachts. Oder im Morgengrauen.» Aber Jim weiß es auch nicht genau, nichts weiß er genau, wie auch ich nichts genau wußte und nur fühlte: alles läuft falsch, das Leben geht einen Weg mit mir, den ich nicht gehen will. Jim schreit seinen Vater an: «Ich möchte jetzt eine Antwort!», und der Vater sagt: «In zehn Jahren blickst du zurück und wirst über dich selbst lachen.» Zehn Jahre sind längst um. Ich lache nicht.

Der Hund wird erschossen

Wir hatten ein kleines Haus am Stadtrand, in den fünfziger Jahren mühsam hochgezogen und von meinem Vater und seinen Brüdern in Wochenendbasteleien dauernd weiter ausgebaut. Es war an allen Ecken und Enden zu klein, denn wir waren fünf Leute, und wenn einer in dem winzigen Bad war, mußten die andern vier warten, was besonders morgens, wenn mein Vater zur Arbeit und meine Schwestern und ich zur Schule mußten, erbitterte Kämpfe und Geschrei gab. Es paßten nicht zwei zugleich in dieses enge Badezimmer, in dem auch die Toilette war, und wenn man sich am Waschbecken einigermaßen temperamentvoll wusch, donnerte das Toilettenschränkchen von der Wand. Zum Duschen und Baden mußte man erst umständlich den großen Boiler heizen, das geschah nur an den Wochenenden, und oft mußte ich auch noch in Traudels Badewasser steigen, wenn sie fertig war – es wurde nur ein bißchen heißes Wasser nachgelassen. «Stell dich nicht so an», hieß es, «guck doch, ist noch gar nicht schmutzig, das wäre doch die reinste Verschwendung.» In Bellas Wasser wäre ich nie gegangen, Bella und ich haben uns nicht eine einzige Stunde in unserem Leben verstanden, ich glaube, niemand versteht sie. Traudel mochte sie auch nicht leiden, und sogar unsere etwas einfältige Mutter, die immer sagte: «Eine Mutter liebt alle ihre Kinder gleich», sah Bella manchmal nachdenklich an und dachte: Auf wen kommt sie nur? Ich fand, daß sie ganz auf unsere Tante Hedwig kam, eine abweisend kalte, hochmütige Frau, aber Mutter ließ auf Tante Hedwig nichts kommen und sagte immer nur: «Sie hat viel durchgemacht, das versteht ihr nicht.»

Nun, Bella hatte nicht viel durchgemacht, wenigstens nicht mehr als Traudel und ich auch in dieser Familie. Aber wir schlossen uns nicht in unserem Zimmer ein, wir schwiegen nicht bei Tisch, wir aßen unsere Weihnachtsteller schon am Heiligen Abend leer, stibitzten uns gegenseitig die leckersten Brocken weg und teilten am Ende redlich, wenn eine noch mehr hatte als die andere. Bella dagegen schloß ihren Teller in ihrem Kleiderschrank ein, verriegelte ihre Zimmertür, und es konnte vorkommen, daß sie Mitte März mit Marzipankartoffeln im Wohnzimmer erschien und schweigend und aufreizend langsam davon aß, während sie in einem Buch las, das sie in Zeitungspapier eingeschlagen hatte, damit wir den Titel nicht sehen konnten. Traudel und ich sahen ihr zu, und das Wasser lief uns im Mund zusammen, aber Bella hätte sich eher die Hand abgehackt, als uns auch nur ein Stückchen Marzipan abzugeben. Wir rächten uns auf unsere Weise, indem wir ihr manchmal in die Suppe spuckten, wenn sie gerade nicht hinsah, oder ihre Post zerrissen, wenn wir früher von der Schule nach Hause kamen als sie und irgendein Brief von irgendeiner ihrer Brieffreundinnen dalag. Bella hatte Brieffreundschaften in aller Welt, durch eine Jugendzeitschrift vermittelt. Am Ort hatte sie als Kind keine Freunde, wer sie kannte, konnte nicht mit ihr befreundet sein.

Bella war die Älteste von uns dreien, und, um auch mal etwas Gutes über sie zu sagen, die Klügste und die Schönste. Sie war gut in der Schule, im Gegensatz zu Traudel und mir, sie hatte Mutters fabelhaftes Haar geerbt, dicht und braun, während Traudel und ich uns mit Vaters blonden Flusen herumschlugen. Sie hatte ja auch als einzige von uns einen schönen Namen – Isabella. Wir hießen Gertraud und Huberta, ich wurde Berti genannt, was zu unendlichen Hänseleien in der Schule führte, und Gertraud hieß so nach unserer gemeinsamen Patentante, Vaters dummer Schwester. Traudel war nur ein Jahr jünger als Bella, sie war ein bißchen pummelig und so naiv wie unsere Mutter, und sie brach bei jeder Gelegenheit in Tränen aus. Traudel liebte Tiere, ihretwegen war der Hund angeschafft worden, Molli, der eine Hütte im Garten hatte und uns alle durch sein ewiges Winseln und Kläffen fast um den Verstand brachte, wenn er an der Kette lag. Machte man ihn los, war sofort Ruhe, aber dann freute er sich so und sprang und raste in Haus und Garten herum, daß er Blumen zertrampelte, Tische umwarf, mit seinen Dreckspfoten unsere Mutter zur Verzweiflung brachte und uns alle dauernd mit seiner heißen nassen Zunge ableckte und wir aus dem PFUI-Schreien gar nicht mehr herauskamen. Unsere Mutter pusselte den ganzen Tag im Haus herum, räumte auf, putzte, polierte, und trotzdem sah es immer irgendwie unordentlich aus. Es war einfach zu eng, und sie hatte auch nur wenig Geschick und gar keinen Geschmack, und nichts paßte zusammen. Ihre selbstgenähten Kissenbezüge waren zu groß für die Sofakissen und warfen klumpige Falten, ihre Tischdecken zippelten, sie hatte die Gabe, den Ständer mit den Zeitungen so hinzustellen, daß erst mal jeder stolperte, der ins Wohnzimmer kam, und alles, was sie kochte, schmeckte gleich: ob es Möhren waren oder Kohlrabi, Sauerkraut mit Würstchen oder Gulasch mit Nudeln – alles wurde um zehn Uhr dreißig aufgesetzt, damit es bis ein Uhr, wenn wir ungefähr aus der Schule kamen, gar war, und alles war eine farb- und salzlose Pampe. Wir Kinder mühten uns, wann immer wir konnten, bei Freunden essen zu dürfen, oder wir kauften uns auf dem Heimweg gegen den schlimmsten Hunger schon mal ein Puddingteilchen. Niemand mußte hungern zu Hause, es gab reichlich, aber, wie gesagt, es schmeckte alles nicht. Sonntags kochte manchmal unser Vater, dann sah die Sache schon ganz anders aus. Er machte zwar eine Riesensauerei in der Küche, spritzte alles voll Fett und brachte es fertig, sämtliche Töpfe für einen einfachen Eintopf zu benutzen, weil er alles extra andünstete und anbriet und vor- und nachkochte und was weiß ich, aber es schmeckte, und es war so scharf gewürzt, daß sogar wir Kinder Bier zum Essen trinken durften, anders kriegte man das gar nicht runter, und meine Mutter jammerte und sagte: «Paul, das war das letzte Mal, daß ich dich in meine Küche gelassen habe, wenn ich so wirtschaften würde wie du, kämen wir ins Armenhaus.»

Ich weiß nicht, ob die Ehe meiner Eltern gut war. Als Kind denkt man über so etwas nicht nach, man kennt ja nichts anderes, man meint, so ist es eben und so muß es sein, das sind eben Eltern – erwachsen, langweilig, immer beschäftigt, unzufrieden. Ich habe nie gesehen, daß sie sich umarmt oder geküßt hätten, nur einmal gingen sie Arm in Arm, und das ist die Geschichte, die ich erzählen will.

Streit gab es zu Hause eigentlich immer nur meinetwegen. Berti ist so schwierig, Berti ist so frech, ich werde mit Berti nicht mehr fertig, die Lehrer haben sich schon wieder über Berti beschwert, Berti ist unordentlich, Berti macht keine Schularbeiten, Berti treibt sich mit Jungens herum, Berti raucht heimlich – das waren so ungefähr die ständigen Klagen meiner Mutter, und sie seufzte, wann immer sie mich bloß sah und auch, wenn ich gar nichts angestellt hatte: «Ach, Berti, Berti, was soll aus dir nur werden.» Manchmal, wenn sie fand, ich hätte etwas besonders Furchtbares angestellt – etwa ein paar kräftige Schnürschuhe, wie wir sie immer anziehen mußten, gegen ein paar schneeweiße Mokassins in der Schule getauscht –, rief sie: «Warte, wenn Vater kommt, dann setzt es was!» Und wenn unser Vater dann abends müde den Weg vom Bus zum Haus hochgeschlurft kam, lief sie ihm schon entgegen und rief: «Paul, du mußt mit Berti reden, und nicht nur reden, du weißt schon, was ich meine, ICH jedenfalls werde mit dem Kind nicht mehr fertig.» Dann zwinkerte mir mein Vater zu und sagte: «Nach dem Essen bist du dran, Huberta», aber ich hatte keine Angst vor solchen Drohungen, ich kannte ihn ja. Die kleinen, schnellen, boshaft aus dem Hinterhalt verteilten Ohrfeigen meiner Mutter, die fürchtete ich, aber den Strafpredigten meines Vaters sah ich eher gelassen entgegen. Nach dem Essen stieg er in den Keller hinunter, bastelte ein bißchen herum, und wenn meine Mutter von oben rief: «Paul, vergiß nicht, was ich dir gesagt habe!», dann schrie er: «Berti, komm mal runter zu mir, aber SOFORT!» Traudel fing dann immer an zu weinen, sagte: «Au weia, jetzt haut er dich» und wollte tapfer mitgehen, aber ich klopfte ihr auf die Schulter, sagte: «Laß nur, in dieser Familie habe ich schon so viel überlebt, ich schaff auch das noch» und stieg die Kellertreppe hinunter. Meine Mutter riß hinter mir die Kellertür wieder auf und schrie: «Schon für diese Bemerkung hättest du noch eine verdient!» und lehnte die Tür nur an, um zu lauschen. Unten stand mein Vater und versuchte, streng auszusehen. «Huberta», fing er an, und dann schrie und tobte er, so könne das mit mir nicht weitergehen, ich würde meine arme Mutter noch ins Grab bringen, was eigentlich in mich gefahren sei, ob ich in der Gosse landen wolle und so weiter, lauter solchen Unsinn, an den er selbst nicht glaubte, und dann flüsterte er: «Herrgott, nun heul doch ein bißchen», klatschte mit einem Stock auf einen Kartoffelsack, und ich schrie wie am Spieß, damit Mutter oben zufrieden war.

Am Ende waren wir beide ganz erschöpft, und er sagte: «Berti, reg deine Mutter nicht immer so auf, verdammt, und laß vor allem die Raucherei sein», und ich sagte: «Ist gut, Papa», und der Fall war erledigt. Wenn ich hochkam, stand meine Mutter zufrieden lächelnd am Herd, rührte in einer ihrer Pampen und sagte: «Das wird dir eine Lehre sein», und Traudel wischte sich die Tränen ab und flüsterte: «War's schlimm?» Ich nickte, weil sie mir dann meist ihren Nachtisch abgab oder mir mein Fahrrad putzte, damit es wieder Licht werde in meinem Herzen. Ach, meine liebe dumme Traudel, heute lebt sie in Kanada, hat einen Farmer geheiratet, fünf Kinder bekommen und ist auf Photos unermeßlich fett. Aber wer weiß, vielleicht ist sie glücklich, obwohl wir drei Mädchen zum Glücklichsein eigentlich kein rechtes Talent haben.

Eines Abends – wir lagen schon in den Betten – hörten wir unten im Wohnzimmer einen Riesenkrach. Die Eltern stritten sich, lauter und heftiger als je zuvor. Traudel und ich hatten ein gemeinsames Zimmer mit Doppelstockbetten. Ich schlief oben, und als ich runtersprang, um mein Ohr auf den Fußboden zu legen, wurde Traudel auch wach und fing gleich an zu heulen.

«Was ist los?» flüsterte sie, und ich sagte: «Ich glaube, sie lassen sich scheiden.» In meiner Klasse war ein Mädchen, dessen Eltern sich gerade scheiden ließen, und sie erzählte jeden Tag neue unglaubliche Geschichten darüber, was zu Hause alles los war, wie die Ehebetten durchgesägt wurden, wie die Eltern um jedes Möbelstück feilschten und wie der Vater sein Essen nicht mehr in den gemeinsamen Kühlschrank stellen durfte, sondern den Käse und die Wurst, die er aß, in einem Säckchen zum Fenster hinaushängen mußte. Ich hätte eine Scheidung gern erlebt, zumal dann im Haus auch mehr Platz gewesen wäre – ich stellte mir vor, daß Mutter und Bella auszogen und Traudel und ich mit Vater und Molli allein blieben.

Wir schlüpften auf den Flur und setzten uns auf die oberste Treppenstufe, von wo aus man alles gut hören konnte. Sogar Bella kam aus ihrem Zimmer, in einem geblümten Bademantel, den ich noch nie an ihr gesehen hatte. Sie sparte immer heimlich das Geld, das unsere Tanten und Großmütter uns schenkten, und kaufte sich wer weiß wo Dinge, die sonst in unserm Haus nicht getragen wurden – Seidenblusen, Lackschuhe oder eben diesen geblümten Morgenmantel. Traudel und ich schmissen unser Geld so raus, wie es reinkam – für Puddingteilchen und Malzbonbons, *Fix-und-Foxi*-Hefte, Kino, Zigaretten. Bella stand in der offenen Tür und sagte: «Was ist denn da los?»

Von unten hörten wir unsere Eltern streiten. «Ich bin es leid», schrie Mutter, «ich kann machen, was ich will, wir kommen auf keinen grünen Zweig, und nun muß ich mir auch noch vorwerfen lassen, ich wäre schuld daran.» Dann sagte mein Vater irgend etwas, das ich nicht verstand, und dann schrie sie wieder, und natürlich fiel sehr häufig mein Name. Traudel saß mit schreckgeweiteten Augen da, die Tränen tropften ihr auf die nackten Füße. Bella lehnte unbeweglich an der Wand, mit verschränkten Armen, und ich sah, daß sie sich irgendeine fette Creme ins Gesicht geschmiert hatte. Wir nahmen alle immer nur Nivea, aber Bella hatte ein – natürlich abschließbares – Kästchen mit Tuben und Döschen für die Schönheit, sie war sehr eitel. Vielleicht wäre ich auch eitel gewesen, wenn ich so schön gewesen wäre wie sie, aber vielleicht hätte ich dann auch soviel Pech mit den immer falschen Männern gehabt. Bella wird gerade zum viertenmal geschieden, dabei ist dieser Mann der geduldigste, den sie je hatte, aber er kann sie wohl auch nicht mehr ertragen. Ich frage mich nur, warum sie immer wieder jemanden findet, der sie heiratet? Mit ihrem dritten Mann, Kurt, hatte sie sich eine große Eigentumswohnung im schönsten Teil der Stadt gekauft, und als sie merkten, daß sie nicht mehr miteinander leben wollten und konnten, sich aber der teuren Wohnung und der ganzen Abzahlungen wegen auch nicht trennen konnten und die Wohnung nicht aufgeben wollten, haben sie sich einen Maurer geholt und quer durch die Wohnung eine Mauer ziehen lassen. Die Küche wurde glatt halbiert, die Mauer ging durch den Flur, Kurt bekam das Wohnzimmer, Bella das Schlafzimmer, aus dem dritten Zimmer machte sich Kurt ein Bad, denn das alte Bad war auf Bellas Seite, und im Treppenhaus wurde eine zweite Eingangstür durchgebrochen. Unten in der Küchenmauer war ein kleines viereckiges Loch für die gemeinsame Katze gelassen worden, die durch die geteilte Wohnung hin- und herging, und durch dieses Loch schoben sich Kurt und Bella auch gegenseitig verirrte Post, kleine Mitteilungen oder die Autoschlüssel zu, und manchmal lagen sie, jeder auf seiner Seite, vor dem Loch und brüllten sich an. Ich hatte damals gerade einen amerikanischen Freund, der für die *New York Times* über den Fall der Mauer in Deutschland schreiben sollte, und ich sagte zu ihm: «Jack, ich zeige dir was, so was hast du noch nie gesehen, darüber kannst du schreiben», und ich überwand meine Abneigung und besuchte Bella, zusammen mit Jack, und er konnte nicht genug staunen. «The Germans need their wall», schrieb er später in seiner Zeitung, und wenn sie sie im Land schon nicht mehr haben dürften, dann wenigstens in ihren Herzen und in ihren Wohnungen.

Unten flog inzwischen Geschirr, es klirrte, und dann sagte meine Mutter plötzlich ganz ruhig: «So. Nun ist es genug, Paul. Das muß ich nicht mehr mitmachen. Ich gehe, und dann kannst du ja zusehen, wie du mit diesem ganzen Schlamassel fertig wirst.» Und mein Vater antwortete: «Gut, wenn es das ist, was du willst, dann lassen wir uns eben scheiden. Bitte sehr, fertig, aus.»

Dann knallte die Haustür, und kurz darauf kam meine Mutter laut heulend aus dem Wohnzimmer. Wir zogen uns schnell in unsere Zimmer zurück und hörten, wie im Schlafzimmer Schränke aufgerissen und wieder zugeschlagen wurden. Eine halbe Stunde später verließ unsere Mutter mit einem Koffer in der Hand und unter dem infernalischen Gebell von Molli das Haus und ging zur Bushaltestelle, obwohl doch in der Nacht dort gar kein Bus mehr abfuhr. Vater kam zurück nach Hause, polterte durch den Flur, schrie den Hund an, schloß das Haus ab, löschte die Lichter und ging ins Bett. Draußen fuhren ab und zu Autos, und ich dachte, daß unsere Mutter wohl per Anhalter wegfahren würde. Donnerwetter, soviel Courage hätte ich ihr niemals zugetraut. Am nächsten Morgen machte uns Vater das Frühstück und pfiff dabei grimmig vor sich hin. «Eure Mutter hat es vorgezogen, uns zu verlassen», sagte er. «Wir lassen uns scheiden, aber ihr müßt euch darüber nicht aufregen.»

«Was wird aus uns?» fragte ich. «Berti», sagte er und preßte genügend Wichtigkeit in seine Stimme, «die meisten Kräche gab es immer deinetwegen, nicht daß ich dir einen Vorwurf mache, aber deine Mutter wird mit dir nicht fertig, und ich kann mich nicht genug um dich kümmern, wenn ich im Büro bin. Du kommst bis zum Abitur in ein schönes Internat und darfst jedes Wochenende heimkommen – du kannst dir aussuchen, ob zu Mutter oder zu mir kommst. Ich werde mit Traudel hierbleiben, und Mutter zieht mit Bella zu Tante Hedwig.»

Bella machte ein hochmütiges Gesicht und sagte: «Noch zwei Jahre, dann gehe ich sowieso ganz von euch weg», und Traudel fragte: «Was wird mit Molli?» – «Der Hund», sagte unser Vater, «wird erschossen, das hat keinen Sinn, daß er den halben Tag allein an der Kette liegt, du bist in der Schule, ich bin im Büro, wer soll sich denn um das arme Vieh kümmern. Und wenn er stundenlang kläfft, hauen ihm die Nachbarn sowieso noch mal einen Knüppel auf den Kopf, da mach ich das schon lieber selbst.» Traudel legte den Kopf auf den Tisch und heulte los. Die Haare hingen ihr in den Kakao, und Bella stand angewidert auf und sagte: «Wenn ich diese Familie nicht mehr sehen muß, mach ich drei Kreuze.» Draußen hupte jemand, denn sie hatte einen Freund mit Auto, der sie morgens zur Schule abholte. Ich werde nie verstehen, was die Männer an Bella finden, es sei denn, sie lieben ihr schönes Haar.

Unsere Mutter blieb verschwunden. Sie rief nicht an, sie kam nicht zurück, und wenn wir unsern Vater fragten: «Wo ist Mama denn eigentlich?», sagte er: «Was weiß ich, bei den andern Hexen auf dem Blocksberg», und das brachte Traudel völlig aus der Fassung. Zu Hause lief alles relativ normal weiter. Ich kam nicht ins Internat, Molli kläffte wie eh und je, raste im Haus herum, sobald wir aus der Schule kamen, und zerriß Zeitungen und Schuhe. Traudel ließ ihn, wenn Vater da war, nicht aus den Augen. Wir waren tagsüber allein, schmierten uns mittags Brote oder machten uns Spiegeleier, und abends kam unser Vater aus dem Büro nach Hause, schon immer ein, zwei Busse früher als sonst, und dann wurde stundenlang gekocht. Die Küche sah wie ein Schweinestall aus, aber es gab Hähnchen in Curry und Chili con carne und solche Sachen, die unsere Mutter nicht mal mit der Zange angerührt, geschweige denn gekocht hätte. Es schmeckte phantastisch, wir saßen bis zehn Uhr am Abendbrottisch, ich durfte an Vaters Zigarette ziehen, und sogar Bella saß manchmal bei uns und ging dann in die Küche, um doch tatsächlich abzuwaschen, unsere Prinzessin mit den Marmorhänden. Traudel trocknete ab, sie konnte sich Bella ganz gut unterordnen, und ich hielt mich an Vater, wir legten Patiencen, und ich fragte: «Papa, was wird denn nun, ich will nicht ins Internat, und Traudel heult sich tot, wenn du den Hund erschießt.» – «Abwarten», sagte er, «vielleicht kommt deine Mutter ja noch zur Vernunft.»

«Hast du eine Freundin?» fragte ich ihn, und er rief: «Wie kommst du denn darauf?» und wurde ein bißchen rot und verlegen. Heute denke ich, daß ich es wohl so ziemlich getroffen hatte mit dieser Vermutung, aber damals dachte ich nicht weiter darüber nach. Viel später, an dem Tag, als mein Vater pensioniert wurde, lernte ich eine Frau aus seinem Betrieb kennen, die ihn mit einem so merkwürdig hungrigen Ausdruck im Gesicht ansah, und er blickte auch zu ihr öfter und anders als zu den übrigen Kollegen hin, und da wußte ich, daß ich damals recht gehabt hatte und war stolz auf meinen Vater, in den sich andere Frauen verliebten. Mutter war an diesem Abend nicht mitgegangen, sie lag mit einer schweren Grippe im Bett, und Bella war schon verheiratet, aber Traudel und ich hatten uns so nett wie möglich angezogen und waren mit unserm Vater, der inzwischen fünfundsechzig Jahre alt und klein und grau geworden war, auf sein großes Fest gegangen. Dreißig Jahre in derselben Firma, und mit ihm zusammen wurde noch ein Buchhalter pensioniert, der sich sehr um die Firma verdient gemacht hatte, also ließ man es sich etwas kosten, und im Festsaal des Hotels Ritter wurde ein Riesenbüfett mit Hummer, Lachs und wundervollen Salaten aufgebaut. Traudel und ich schielten dauernd hin, aber vor dem Essen wurden endlose Reden gehalten. Die Verdienste des Buchhalters wurden gewürdigt, auf unsern Vater wurde ein Loblied gesungen, und neben ihm stand die Kollegin mit den hungrigen Augen und stieß dauernd mit Sekt an, lehnte sich an ihn, und einmal legte unser Vater ihr den Arm um die Taille und sah dabei etwas furchtsam zu uns herüber. Traudel bemerkte das gar nicht, weil sie nur aufs Büfett schielte, aber ich zwinkerte ihm aufmunternd zu. Er lächelte schüchtern, prostete mir zu, und ich liebte ihn so sehr in diesem Augenblick, daß das Herz mir weh tat und ich am liebsten zu ihm gelaufen wäre und ihn geküßt hätte. Die Reden dauerten und dauerten, dann spielte noch ein Streichquartett, und die Lehrlinge der Firma, die mein Vater zum Teil ausgebildet hatte, lasen mit verteilten Rollen eine komische Szene vor, die auf den Büroalltag anspielte und von der ich kein Wort verstand. Mir wurde bewußt, wie wenig unser Vater zu Hause von seiner Arbeit erzählt hatte, wir wußten im Grunde nicht einmal genau, was er tat, außer daß er das Geld zum Leben heimbrachte, und das war ja, wie wir von Mutter hörten, immer zuwenig, weil er nicht ehrgeizig war und sich nicht anstrengte. Traudel flüsterte mir zu: «Was sind das für komische freie Stellen da im Büfett, glaubst du, da kommt noch was?» In der Tat waren mitten im schön dekorierten Büfett drei große, kreisrunde Löcher, schwarz und aus der Papiertischdecke ausgeschnitten. «Vielleicht sollen wir da die dreckigen Teller und das Besteck reinschmeißen», flüsterte ich zurück, und neben mir zischte eine ältere Dame: «Psst, so seien Sie doch still!», denn die Lehrlinge reimten gerade:

«Wehe, wenn wer mal nicht spurt,
dann kommt Kurt, dann kommt Kurt»

und meinten wohl den Abteilungsleiter. Ich habe diesen Spruch später zu Bellas Mann gesagt, «wenn unsre Bella mal nicht spurt, dann kommt Kurt, dann kommt Kurt», und er hatte gelacht und gesagt: «Ich werd nicht schlau aus deiner Schwester, da soll sich jemand anders die Zähne ausbeißen.» Ich hätte Kurt gern gehabt, ehrlich gesagt, er war von allen Freunden und Ehemännern, die Bella hatte, der netteste, aber mich bemerkten die Männer immer erst, wenn sie an meiner Schwester verzweifelt waren, und zweimal wollten sie mit derselben Familie nichts zu tun haben.

Als die Reden endlich beendet waren, gab es viel Applaus, mein Vater und der Buchhalter bekamen je einen großen Schaukelstuhl geschenkt für den Ruhestand, der jetzt anbrechen würde, und ich dachte: Du liebe Güte, wo will er in unserm Haus dieses Monstrum aufstellen? Seltsamerweise tauchte der Stuhl nie bei uns auf. Mutter stichelte noch ewig herum: «Sie hätten dir zum Abschied ruhig etwas schenken können, was für eine knauserige Firma!» Traudel und ich schwiegen dazu, und ich dachte mir, daß der Schaukelstuhl vielleicht in der Wohnung der Kollegin stand und daß unser Vater da manchmal in aller Ruhe ein bißchen schaukeln ging, wer weiß.

Nun wurde aber endlich das Büfett eröffnet, und zwar mit einem lauten Gong und dem Ruf der älteren Dame neben mir: «Warten Sie noch EINEN AUGENBLICK, es gibt noch eine Überraschung!» Alles blieb stehen, und Traudel sagte: «Das gibt's doch nicht!», denn in den drei kreisrunden Löchern erschienen jetzt auf einmal die Köpfe von drei Menschen – der eine war als Karotte, der andere als Salat, der dritte als Tomate geschminkt und verziert –, ein orangefarbenes, ein rotes, ein grünes Gesicht mit allerlei Blattzeug auf dem Kopf. Sie mußten während der ganzen Zeit unter dem

Tisch gelegen oder gesessen haben, und nun schoben sie ihre Köpfe zwischen die Fisch-, Fleisch- und Salatplatten und riefen: «Das Büfett ist eröffnet!»

Es gab Riesenapplaus, und nur langsam trauten wir uns an den Tisch, wo jetzt mitten zwischen Tellern mit Essen lebende Gesichter schwebten und lächelten und sagten «Guten Appetit!» oder «Nehmen Sie doch noch ein Häppchen Lachs!» oder «Auch der Nudelsalat ist es wert, probiert zu werden, greifen Sie nur zu.» Witzbolde bekleckerten den, der wie eine Tomate aussah, mit Mayonnaise, er ertrug es lächelnd und sagte: «Sie sollten auch den Parmaschinken probieren», und ich dachte: Mein Gott, in dieser Firma war unser Vater dreißig Jahre lang, was weiß man schon von seinen Eltern.

Als unsere Mutter eine Woche weg war, klingelte plötzlich beim Abendbrot das Telefon. Bella und Traudel waren in der Küche, und Vater schickte mich mit einer Handbewegung aus dem Zimmer, er wollte ungestört sein. «Mama?» flüsterte ich, und er nickte. Ich ging in die Küche zu den andern und sagte düster: «Ich fürchte, unsere Mutter kommt zurück.» Traudel juchzte laut auf und wollte ins Wohnzimmer rennen, wahrscheinlich, um Mutter am Telefon irgendwelche Freudenschreie ins Ohr zu tröten, aber ich hielt sie zurück. Bella sagte: «Wird auch Zeit. Wie das hier aussieht.» Vater telefonierte lange, dann machte er die Terrassentür auf, lüftete, rauchte im Stehen noch eine Zigarette und seufzte tief.

Ich war wieder zu ihm gegangen, und er hatte mir den Arm um die Schultern gelegt. «Kommt sie?» fragte ich, und er nickte: «Morgen abend.» – «Wo ist sie eigentlich?» wollte ich wissen, obwohl ich es mir schon denken konnte: bei Tante Hedwig, die ihr wieder einreden würde, sie solle unsern Vater, der es zu nichts brächte, endlich verlassen. Und dann würde Tante Hedwig, die Kriegerwitwe war, seufzen und sagen: «Die besseren Männer sind im Krieg geblieben!» Im Grunde wunderte ich mich, daß Mutter zurückkam, ich an ihrer Stelle wäre weggeblieben, aber ich glaube, dazu war sie einfach zu unselbständig, es lief halt doch immer alles seinen gewohnten Gang, und zu schmerzhaften Veränderungen hatte in dieser Generation nach durchgestandenem Krieg und Heimkehr aus der Gefangenschaft niemand mehr den Mut oder auch einfach nur die Phantasie.

Am folgenden Nachmittag räumten wir das Haus auf. Die alten Zeitungen kamen in den Müll, die Küche wurde geputzt, Traudel pflückte einen klumpigen Strauß Feldblumen, und Bella bezog die Betten frisch. Ich bürstete den Hund und schrubbte mit einem Schwamm die Dreckflecken, die er gemacht hatte, vom Teppich, und unser Vater heizte den Boiler ein, nahm ein langes Bad, rasierte und parfümierte sich und ging gegen sechs Uhr abends zur Bushaltestelle.

«Ohren steif», sagte ich und hielt Traudel fest, die unbedingt mitgehen wollte. Bella war mit ihrem Freund ausgegangen, weil sie, wie sie sagte, «diese rührende Szene nicht miterleben» wollte. Ich setzte mich mit Traudel oben auf die Fensterbank, von da aus konnte man die Straße überblicken, und unser Vater ging los.

Nach einer halben Stunde kamen sie. Er trug ihren Koffer, zwischen ihnen waren etwa zwei Meter Platz, und sie schienen zu schweigen. «Mama!» sagte Traudel ergriffen und fing an zu heulen, und ich dachte: «Jetzt müssen wir wieder Pampe essen.» Sie kamen ins Haus, stellten den Koffer in die Diele und gingen sofort wieder weg.

Traudel war fassungslos. «Warum gehen sie denn wieder?» rief sie und schluchzte, und ich sagte: «Wahrscheinlich wollen sie allein sein und reden», und so war es auch, denn kaum waren sie wieder auf der Straße, fingen sie beide gleichzeitig an, heftig aufeinander einzureden und mit den Armen zu fuchteln. Sie bogen in den Feldweg zum Wäldchen ein, und nun konnte man sie für zehn Minuten nicht sehen. Ich blieb aber sitzen, weil ich wußte, daß sie dann am Waldrand wieder auftauchen mußten. Traudel ging runter, um Mutters Koffer zu beschnüffeln und den kläffenden Hund von der Leine loszumachen. Nach etwas mehr als zehn Minuten sah ich meinen Vater und meine Mutter oben am Waldrand, sie hatten sich eingehakt und gingen langsam, und fast schien es, als legte meine Mutter ihren Kopf an seine Schulter, aber vielleicht hielt sie ihn auch nur schief.

Ich hatte das Gefühl, als wären wir jetzt zwar gerettet, aber wenn es anders gekommen wäre, wäre es auch kein Untergang gewesen. Es war kein Glücksgefühl, keine Erleichterung, eher so eine Art Einmünden in einen vertrauten Hafen. Später am Abend saßen wir alle zusammen im Wohnzimmer, sogar Bella kam heim und setzte sich zu uns. Mutter war blaß und sanft wie jemand, der nach einer Krankheit zum erstenmal wieder aufsteht. Sie sah uns prüfend an, als müsse sie sich vergewissern, daß wir noch lebten und in Ordnung wären, und Vater öffnete eine Flasche Wein, goß die Gläser voll und sagte: «So, da wären wir nun wieder alle.» Molli lag zu Mutters Füßen, und Traudel saß daneben und streichelte abwechselnd Mutter und den Hund.

«Gut, daß du wieder da bist, Mama», sagte sie, «denn stell dir vor, er hätte sonst den Hund erschossen.»

Das Dööfchen

Jeden Abend um dieselbe Zeit kommt das Dööfchen die Straße herunter, die wir von unserm Balkon aus sehen. Es ist eine stille Wohnstraße mit alten Häusern, die noch nie oder nur sehr sparsam renoviert wurden. An der Ecke, uns gegenüber, verfällt das Altersheim. Es hält sich zwischen den hohen, morschen Bäumen nur so gerade noch aufrecht, und die meisten der kleinen Balkone dürfen nicht mehr betreten werden – mit rotweißen Plastikbändern hat das Stadtbauamt sie gesperrt. Die Fensterläden sind abgeblättert und klappern im Wind, einige sind immer geschlossen, andere mit Paketkordel an den Halterungen festgebunden. In den Fenstern sehen wir kleine weiße Köpfe, ganz still, und nachts hören wir manchmal Schreie. Wir starren dann im Dunkeln nach drüben und denken daran, wie es sein wird, wenn wir alt sind – die Liebesgeschichten werden vorbei sein, und wir werden jedes mögliche Ende kennen. Uns wird nichts mehr erschrekken, denn wir haben jeden Schmerz schon gespürt, jeden schon zugefügt. Kein Warten mehr auf Briefträger: was sie bringen könnten, wissen wir – die albernen Karten, die verwegenen Briefe, die brennenden Telegramme. Kein Telefon mehr, niemand, der noch anrufen könnte. Musik? Wir haben die Musik im Kopf und hören sie hinter den geschlossenen Augen. Wir kennen die Bücher und erzählen uns stumm die

Geschichten zu Ende. Niemand wird wissen, daß wir auf einem Zwirnsfaden über einen Abgrund gehen. Wir haben dafür gesorgt, daß wir im Alter in einen Garten sehen können, in dem die Katze geduldig auf Vögel lauert und sie vor unseren Augen zerreißt. Als wir jung waren, glaubten wir, Grausamkeiten nicht zu ertragen. Jetzt sind wir selbst grausam, kein Lächeln mehr, keine Freundlichkeiten, nur Schreie im Traum. Wir werden der Katze zusehen und die Erinnerung an uns selbst verlieren, und wenn uns jemand besuchen will, werden wir hinter der geschlossenen Tür böse sagen: Wir sind nicht zu Hause.

Jeden Abend um dieselbe Zeit kommt der dicke alte Mann in dem rosa Hemd mit den kurzen Ärmeln aus dem Heim, tappt mit dem Stock an der Hecke entlang und ruft: «Ei, ei, ei! Peterle!» Die vergilbte Katze mit dem grauen Punkt taucht dann auf, tänzelt vor ihm mit steilem Schwanz, läßt sich nicht fangen, nicht streicheln – nie.

Das Dööfchen hat jetzt die Mülltonne von Rechtsanwalt Wrobel erreicht. Krachend fliegt der Deckel nach hinten, Hundefutterdosen, Küchenabfälle, Plastikreste landen in der Vorgartenbegrünung. Nur Zeitschriften sucht das Dööfchen, sie verschwinden in prallen Tüten, und wenn das Dööfchen sicher ist, daß keine Zeitschriften mehr in der Tonne sind, knurrt es und trollt sich weiter zu den Mülltonnen des Sternkönig-Verlags unten an der Ecke. Da finden sich immer Druckfahnen, Korrekturbögen, Papierreste. Wir warten, bis die alte Wrobel mit der Kaminzange erscheint und die tägliche Schweinerei in ihrem Vorgarten fluchend beseitigt.

Das Dööfchen ist älter geworden in letzter Zeit. Lange schien es uns zeitlos unförmig mit seinem leeren runden Kindergesicht, aber auf einmal wird der Körper schwer und das

Haar grau. Noch immer trägt es grellbunte Strickjacken, die ihm die Mutter aus Wollresten strickt. Das Dööfchen wohnt mit seiner Mutter in einem großen dunklen Haus in der Nachbarstraße, und wir diskutieren oft, was schlimmer wäre: wenn zuerst das Dööfchen stürbe oder zuerst die Mutter? Wir setzen sogar Wetten aus: einer ist für die Mutter, damit das Dööfchen endlich in ein Heim kommt, einer ist für das Dööfchen, damit die Mutter noch ein paar schöne Jahre hat. Weihnachten leuchtet in ihrem Erker immer der größte Baum weit und breit, und mich erfüllt mit Ingrimm, daß das Dööfchen so geliebt wird – um mich wurde nie Aufhebens gemacht, und ich war kein so plumpes, heiser bellendes Kind. Einmal wurde unsere Katze überfahren, wir fanden sie direkt unter dem Erkerfenster, und das Dööfchen stand hinter der Gardine und sah unbewegt zu.

Der alte Mann gibt die Jagd nach Peterle auf und geht ins Altersheim zurück. Jetzt ist es ganz still in unserer Straße, aber dann erscheint die alte Wrobel mit der Kaminzange, und fast gleichzeitig kommt der Kinderverderber mit dem dicken Hintern auf seinem Hollandrad und pfeift vor sich hin. Er fährt im Zickzack, weil er lüstern nach allen Seiten ausspäht, ob es noch irgendwo Kinder zu verderben gibt. Oft wundern wir uns, daß er noch nie über das Dööfchen hergefallen ist. Jetzt lehnt er sein Hollandrad an den Zaun des Hauses Nr. 16, in dem er wohnt, schließt es mit zwei Ketten ab und dreht sich noch einmal unschlüssig um – nichts, schade. In einigen Minuten wird in seiner Mansarde kaltes Deckenlicht aufleuchten, und dann werden wir aus dem geöffneten Fenster Marschmusik hören. Kurz darauf wird Frau Rechtsanwalt Wrobel mit ihrem Basset Elsie auf die Straße treten und grußlos an der Schwiegermutter mit der Kaminzange vorbei in

Richtung Grünanlage gehen. Elsie ist fett, hängt in der Mitte durch, hat entzündete Augen und krumme Füße mit zu langen Krallen. Sie kackt kleine weiße Kalkbälle vor das Haus, in dem der Kinderverderber verschwunden ist. Elsie will nicht gehen und schleift ihren Bauch mühsam über den Gehsteig. Um so drahtiger schreitet Frau Rechtsanwalt Wrobel in ihrem kurzen weißen Tennisröckchen aus, denn sie wird gleich eine Trainerstunde bei dem braungebrannten Tennislehrer aus der Kreisstadt nehmen. Sie raucht im Gehen und wartet, bis Elsie ihre Kalkbälle losgeworden ist.

Die alte Wrobel schaut erbittert hinter ihr her, das Flittchen, die Schmarotzerin, die ihr den Sohn weggenommen hat, der etwas Besseres verdient hätte. Der Sohn ist gutverdienender Scheidungsanwalt und hat eine Geliebte in Bielefeld, weshalb er in Bielefeld oft «Termine wahrnehmen muß». Die alte Wrobel schaut zu uns hoch, grüßt, droht mit der Kaminzange hinter der Schwiegertochter her und äfft ihren aufreizenden Gang nach. Jetzt kommt Kowalski auf dem Rennrad den Berg von der Grünanlage heruntergefahren. Kowalski malt wilde Bilder in schreienden Farben und radelt täglich gegen seine sexuellen Obsessionen an. Er trägt enge Radfahrerhosen, in denen man «alle Teile» sieht, wie die alte Wrobel einmal voll Abscheu bemerkt hat: «Ekelhaft, so eine Hose, man sieht alle Teile, aber das gefällt dem Flittchen!»

Kowalskis Gesicht ist rot und schweißglänzend, das Haar verklebt, als er jetzt anhält und vom Rad steigt, um mit Frau Rechtsanwalt Wrobel eine zu rauchen und ihr von dem Fuchs zu erzählen, den er auf der Hochstraße gesehen hat, von der Weinlese, die in vollem Gange ist, von den Bauarbeiten an der Trasse der Schnellbahn. Sie lacht laut und wirft den Kopf jungmädchenhaft in den Nacken, ach, Kowalski, Sie sind mir einer! Elsie rutscht mit dem Hintern über den Kies, weil sie einen Abszeß an den Analdrüsen hat.

Seit Kowalski sich endgültig von Martha, seiner Frau, getrennt hat, wohnt er in unserer Straße. Martha hat ein Verhältnis mit einem ehemaligen Boxer, der Kowalski in der Stadt kumpelhaft zuzwinkert. Kowalski findet diese Affäre unerträglich und nicht zu vergleichen mit seinen Geschichten, etwa mit der italienischen Eisverkäuferin, der älteren Schauspielerin oder der Bedienung in den Rheinterrassen.

Kowalski will nicht abends heimkommen und sehen, wie der ehemalige Boxer in seiner Küche Weizenbier trinkt, also hat er sich eine kleine Dachwohnung gemietet, und wir können nachts lange das Licht brennen sehen. Dann malt er oder schreibt für Kunstzeitschriften verwegene Artikel mit Titeln wie «Was soll uns Schönheit?» oder «Im Schlaf erwacht die Schwermut» oder «Vom Überflüssigen». Manchmal geht Kowalskis Freund Werner unter den Fenstern auf und ab, hustet überdeutlich, schaut zu den erleuchteten Vierecken hoch, traut sich aber nicht zu klingeln und trabt wieder zurück in Marthas Küche, wo er oft Zuflucht sucht und mit dem ehemaligen Boxer ein Weizenbier nach dem anderen trinkt. Werner ist acht Jahre zur See gefahren und dann in Wien bei einer Restaurateurin namens Elsbeth gestrandet, von deren erotischen Extravaganzen er oft in hocherregtem Frageton erzählt: «Immer nur im Stehen, stundenlang, rein raus, rein raus, und dabei raucht sie, ist das denn normal, sagt doch mal?» Werner ist vor Elsbeth in unsere Kleinstadt geflohen, weil hier sein einziger Freund lebt, Kowalski, und nun hat sich Kowalski so zurückgezogen, und Werners letzte Anlaufstelle ist Marthas Küche. Wenn er betrunken ist, tritt er ans Fenster, ballt die Faust und ruft in die Nacht hinaus: «Kowalski, du Schuft!» und dann sagt Martha: «Mal du erst mal solche Bilder», und der Boxer sagt: «Was, du nimmst das Arschloch noch in Schutz?» Manchmal haut der Boxer Martha dann eine rein, nicht fest, nur gerade so, daß es ein dickes Auge und ein paar Schrammen gibt, die Martha am nächsten Tag stolz zum Einkaufen auf den Marktplatz trägt. Ganymed, Marthas und Kowalskis halbwüchsiger Sohn, der seinen Vater so glühend haßt wie er seine Mutter liebt, will den ehemaligen Boxer dafür ermorden und schmiedet finstere Pläne. Er, der nach dem schönen Mundschenk des Zeus heißt, der in unvergänglicher Jugend Dienst an der Tafel der Götter tut, ahnt nichts von den Jahren der Langeweile, die für Martha die Ehe mit Kowalski bedeutet haben. Sie genießt die kleinen Handgreiflichkeiten des ehemaligen Boxers durchaus, nachdem Kowalski sie jahrelang überhaupt nicht angerührt hatte.

Es ist dunkler geworden, und Frau Rechtsanwalt Wrobel zerrt Elsie hinter sich her in Richtung Tennisplatz. Kowalski schultert sein leichtes Rad und trägt es in den dritten Stock hoch, und währenddessen hält unten vor seinem Haus ein kleines weißes Auto. Heraus steigt in einem leuchtendblauen Kleid, das korngelbe Haar lang und offen, Erdmute. Sie ist Querflötistin im Kurorchester und hat ein Verhältnis mit dem Dirigenten, hätte aber lieber eins mit Kowalski, jetzt, wo er frei von Martha ist. Erdmute und Martha sind zusammen zur Schule gegangen und haben sich immer gehaßt, zwei böse Sägeblätter, zwischen denen Kowalski seit Jahren zerrieben wird. Er öffnet nicht auf Erdmutes Klingeln, macht auch kein Licht. Sie versucht es noch einmal, fährt dann ab, hupt wütend. Als das Auto weg ist, öffnet Kowalski oben weit die Fenster. Jetzt wird er den Fuchs malen, den er überfahren auf der Hochstraße gesehen hat. Die vergilbte Katze schlüpft durch einen Spalt des Küchenfensters ins Altersheim, und der Kinderverderber stellt die Marschmusik ab und geht zu Bett.

Werner sitzt in Marthas Küche, sie flüstern, um den ehemaligen Boxer nicht aufzuwecken, dem der Kopf schwer auf den Tisch gesunken ist. Anita, Marthas und Kowalskis häßliche Tochter, die im Garten Marihuana züchtet und selbstgedrehte Zigaretten auf dem Schulhof verkauft, spießt lebende Schmetterlinge auf. Das Dööfchen schlurft mit drei vollen Tüten gähnend nach Hause. Uns wird kühl auf dem Balkon, wir räumen die Stühle nach innen, schließen die Tür, waschen uns flüchtig und legen uns schlafen.

Am nächsten Morgen gehen wir auf den Markt und sehen Martha mit ihrer Freundin Irene in der Fußgängerzone vor «Claire's Bistro» sitzen und Chardonnay trinken. Mit zusammengekniffenen Augen sehen beide hinter Irenes ehemaligem Mann Wilhelm her, der grußlos vorbeigeht. Es ist halb zwölf, da macht er Mittagspause und ißt beim Chinesen süßsaure Suppe und Hühnerfleisch mit Bambus, wie immer. Wilhelm führt eine Musikalienhandlung, und Irene hatte ihn kennengelernt, als sie vor Jahren für ihre kleine Nichte ein Akkordeon bei ihm kaufte. Viel zu schnell hatten sie geheiratet, die Ehe hielt nur anderthalb Jahre, und die kleine Nichte ist inzwischen am Gehirntumor gestorben – das Akkordeon steht ungenutzt herum. Als die kleine Nichte damals schon im Sterben lag, hatte man noch Wilhelms Mutter hinzugezogen, eine alte Frau mit schrill blondiertem Haar und Kenntnis der homöopathischen Medizin, aber es war schon zu spät gewesen. Die Ärzte, schimpfte sie, allesamt Scharlatane, hätten bereits alles gründlich verdorben, vor allem der Doktor Jungblut, man wisse ja, was von dem zu halten sei. Doktor Jungblut genießt in der Stadt eine gewisse Berühmtheit als brillanter Tänzer. Unsere drei Homosexuellen schwören auf ihn, weil er noch immer Aids für Schnickschnack und eine Erfindung der katholischen Kirche hält. Er erzählt gern kleine obszöne Witze und gibt nichts auf das Arztgeheimnis. Laut teilt er in Gesellschaft mit, wer eine Schrumpfleber, wer Colitis ulcerosa, wer Toxoplasmose hat. «Na, Frau Wrobel», ruft er auf dem Sommerfest des Tennisclubs, «was machen denn die Hämorrhoiden?» Er wird auf alle Feste eingeladen, denn Krankheiten sind immer ein wichtiges und beliebtes Thema. Auch Marthas Mutter ist bei ihm in Behandlung, weil sie nur dort ab und zu etwas über ihre Tochter erfährt, die seit Jahren nicht mehr mit ihr spricht. Das Dööfchen ist seit seiner Geburt Doktor Jungbluts Patientin. Mit starken Medikamenten hat er es während der Pubertät ruhig gehalten, nur das heisere Bellen konnte er leider nicht eindämmen. Und auch bei der kleinen Nichte hat er damals nichts mehr machen können, aber den Redakteur des *Tageblatts* hat er von seinem unerträglichen Mundgeruch befreit, indem er faulige Restmandeln entfernte.

Der ehemalige Boxer schläft seinen Rausch aus, während Irene und Martha die zweite Flasche Chardonnay trinken. Werner ist dazugekommen und erzählt, daß er Wilhelm, Irenes Ehemaligen, mit Sicherheit mal in Düsseldorf in der Fußgängerzone gesehen habe, wo er auf einer Gitarre Tango spielte. Wilhelm hatte als junger Mann sein Musikstudium abgebrochen, um den väterlichen Musikalienhandel zu leiten, aber anscheinend steckte ihm die Liebe zur Musik doch noch in den Knochen. Irene kann sich nicht einmal mehr daran erinnern, ob Wilhelm zum Frühstück Tee oder Kaffee trank, so unwichtig ist er ihr gewesen oder geworden.

Auf dem Schulhof läßt Anita Sechsjährige an ihren Marihuana-Zigaretten ziehen und freut sich, wenn sie das Schulklo vollkotzen. Niemand prüft, was in diesen Zigaretten drin ist, und bei Vorwürfen dreht Anita die blassen Augen gen Himmel und sagt: «Kann ich dafür, wenn sie so früh schon rauchen wollen?» Wenn Anita aus der Schule kommt, ist ihre Mutter schon so betrunken, daß sie sich auf dem Heimweg bei der Tochter einhaken muß. Mutter und Tochter verabscheuen sich, wie sich Martha und ihre Mutter verabscheuen. Sie zischen sich Gemeinheiten zu, und Anita geht in festem Schritt, mit zusammengepreßten schmalen Lippen und zieht die Mutter rücksichtslos hinter sich her. Sie ist ein häßliches und böses Kind, groß und hager wie die Mutter – kein Hund, der nicht im Vorübergehen von ihr getreten würde, kein Kind, dem sie nicht rasch und fest auf den Kopf schlüge, wenn die Eltern gerade wegschauen. Anita liebt nur einen einzigen Menschen, das ist Kowalski, ihr Vater, aber diese Liebe wird nicht erwidert. Irene bleibt allein vor «Claire's Bistro» bei ihrem Wein sitzen, bis auch Ganymed aus der Schule kommt, zusammen mit dem schönen Bertram. Der schöne Bertram ist sechzehn, hat langes blondes Haar, zum Zopf gebunden, und immer eine Zigarette im Mund. Er schaut den Frauen auf die Brüste, die Beine und den Hintern, und man sagt, daß der ehemalige Boxer ihn schon als Zuhälter anlernt. Ganymed ist hoffnungslos verliebt in den schönen Bertram, der jetzt aus Irenes Glas einen Schluck trinkt und ihr so in den Nacken faßt, daß sie eine Gänsehaut bekommt. «Na», sagt er, und sonst nichts. Im Schaufenster der Buchhandlung Löwinger studieren er und Ganymed Reiseprospekte, dann verabreden sie sich zum Pferderennen am Nachmittag und trennen sich. Der schöne Bertram holt jetzt seine Mutter ab, die beim Bridgespielen verloren hat, und manchmal zieht er einen Hunderter aus der Tasche und zahlt ihre Schulden. Buchhändler Löwinger schließt über Mittag sein Geschäft und geht mit seinen beiden dicken Töchtern nach Hause zum Essen. Sandra, die Jüngere, hat neuerdings einen Freund, und zwar Patrick, den Sohn des Leiters dieses großen Einkaufszentrums draußen am Bahnhof. Vor Jahren hatte Patrick einen Autounfall, da dachten wir alle: das wird nichts mehr. Aber nun geht er mit Sandra, die aussieht wie eine Lehmgrube nach einem schweren Gewitter, und er ist doch eigentlich ganz hübsch, wenn auch so unauffällig, daß man sein Gesicht sofort vergißt. Er muß das wissen, denn im Sommer fährt er mehrmals täglich in einem offenen Auto an «Claire's Bistro» vorbei, damit wir uns an ihn erinnern. Wenn Sandra den kriegt, sagen wir, hat sie ausgesorgt, und dann kann ihre kloßförmige Schwester Judith den Buchladen erben.

Judith hätte gern damals Wilhelm geheiratet, aber da war ihr Irene dazwischengekommen. Seither grüßt sie Irene nicht mehr, und wann immer Irene ein Buch kaufen möchte, sagt Judith: «Das muß ich erst bestellen», und das läßt sie dann tagelang dauern. Wilhelm sitzt beim Chinesen und trinkt Rotwein zum Essen. Doktor Jungblut hat vor Jahren Darmkrebs bei ihm festgestellt, und dann war herausgekommen: er hatte sich geirrt, nur ein Magengeschwür! Ab sofort kein Rotwein mehr! Nun trinkt Wilhelm den Beaujolais schon mittags.

Am Nebentisch schlürft die Brühwürfelerbin ihre Wan-Tan-Suppe. Sie ist fast neunzig Jahre alt und steinreich und wird alles der katholischen Kirche vermachen, denn sie haßt ihre Familie. Täglich geht sie schwimmen im städtischen Bad und schlägt am Beckenrand mit dem Stock nach Kindern, die spritzen oder herumtoben. Nie weicht sie einem Schwimmer aus, der ihre Bahn kreuzt. Stur schwimmt sie mit energischen Zügen geradeaus, und einmal ist ihretwegen fast ein Kind ertrunken, sie ist einfach drüberweg geschwommen.

Sie nickt Wilhelm zu, der zweimal im Jahr – vor und nach der Heizperiode – ihren Flügel stimmen kommt, auf dem sie nie spielt. Heute wird sie nach dem Essen auf den Friedhof gehen, wo ihr letzter Freund beerdigt wird, ein alter Französischlehrer, mit dem sie manchmal Patiencen gelegt hat. Statt Blumen wird sie ihm die Patiencekarten ins Grab werfen. Sie überlegt, mit wem sie nun in Zukunft ab und zu ein Schwätzchen halten könnte, aber es fällt ihr niemand ein. Frau Rechtsanwalt Wrobel kommt mit schnellem Schritt vom Einkaufen, sie wird von Erdmute gegrüßt, die soeben eine Kurorchesterprobe hatte. Beide denken an diesem leichtsinnig-warmen Tag an Kowalski. Kowalski aber liegt genau zu dieser Stunde mit der Aushilfspostbotin im Bett. Sie hatte ihm schon lange gefallen, und morgen sind die drei Wochen um, in denen sie unsern alten dämlichen Briefträger vertreten hat, der immer Heinrich, Henrici und Heiders verwechselt und Nr. 14 nicht von Nr. 24 unterscheiden kann. Heute morgen, als die junge Aushilfspostbotin die drei Treppen zu Kowalski hochstieg, um Nachgebühr zu kassieren, hat er ihr auf dem Treppenabsatz ein Gedicht von Ferlinghetti aufgesagt, das mit den Worten begann:

> «An der Küste von Chile
> wo Neruda lebte
> ist es wohlbekannt daß
> Seevögel oftmals
> aus Briefkästen Briefe stehlen
> die sie aus verschiedenen Gründen
> gerne lesen würden.»

Dieses Gedicht hat die Aushilfspostbotin überzeugt, und so schläft sie nun gern mit Kowalski und trägt den Rest der Post erst anderthalb Stunden später aus. Martha liegt jetzt überwach in einem verdunkelten Zimmer und wird von Bildern gepeinigt, die mit ihrer Mutter zu tun haben. Anita hat im Garten einen kleinen Vogel gefangen, ihn in ein Marmeladenglas gesperrt, und nun sieht sie zu, wie er erstickt.

An diesem Abend warten wir vergebens auf das Dööfchen. Es kommt nicht die Straße herunter, und die alte Wrobel lauert ratlos mit der Kaminzange hinter der Wohnzimmergardine. Das Dööfchen kommt auch in den nächsten Tagen nicht, und wir fangen an, uns Sorgen zu machen. Die Nachricht, daß Doktor Jungblut sich bei Wilhelm abermals geirrt hat – es ist Krebs der Bauchspeicheldrüse und wird nun sehr schnell gehen –, läßt uns kalt. Wo ist das Dööfchen? Ob man einfach einmal klingelt und die Mutter fragt, entschuldigen Sie bitte, aber Ihre Tochter...? Judith will sich für Wilhelm aufopfern und ihn pflegen bis zum Schluß. Martha hat den Boxer nun doch aus dem Haus geworfen, und Kowalski überlegt, ob er wieder zu ihr und den Kindern zurückziehen soll. Werner wird nach Wien fahren und es noch einmal mit Elsbeth versuchen, und Rechtsanwalt Wrobel ist zum erstenmal ein ganzes Wochenende in Bielefeld geblieben. Jetzt erwägt seine Frau ernsthaft, mit dem Tennislehrer noch einmal ganz von vorn anzufangen. Sie weiß nicht, daß Erdmute Kowalski endgültig aufgegeben hat und nun private Trainerstunden nimmt.

Die Brühwürfelerbin räumt auf dem Heimweg vom Schwimmbad mit ihrem Stock die vergilbte Katze beiseite, die überfahren vor dem Altersheim liegt. Da wird sie der alte Mann in dem rosa Hemd mit den kurzen Ärmeln am Abend finden, wird sie weinend in den Arm nehmen und endlich lange streicheln.

In der Zeitung lesen wir, daß Alexis von Bredow den Tod

ihrer Mutter betrauert. Die Adresse ist die des Dööfchens, von dem wir nun wissen, daß es Alexis heißt. Wenige Tage später sehen wir seinen dicken runden Kopf an einem der Fenster des Altersheims. Es schaut dem Kinderverderber nach, der vom Rad steigt und sich mißmutig umsieht, weil nichts los ist.

Ganymed und der schöne Bertram gehen die Straße hinauf zur Grünanlage. Ganymed legt vorsichtig seinen Arm um den Freund. Weiter passiert heute nichts. Aber wir sind gewohnt zu warten. Alles ereignet sich, irgendwann.

Kleine Reise

Ich hasse Berlin, habe es immer gehaßt. Ich mag den Dialekt nicht, den sie dort sprechen, ich mag die grauen Häuser nicht, den Geruch aus der U-Bahn, das ganze hysterische Deutsche-Reich-Getue. Ich mag ihr Bier nicht und muß kotzen, wenn ich ihre Buletten nur sehe, und überall alte Leute und Hundescheiße. Und inzwischen haben wir auch noch die ganze Stadt, als wäre die Hälfte nicht mehr als genug gewesen. Am meisten hasse ich Berlins Taxifahrer. Wir leben in lausigen Zeiten, und Taxifahrer wird man nicht aus Spaß, sondern weil man keinen besseren Job kriegt, bei der Polizei rausgeflogen ist oder was weiß ich. Jedenfalls sind die Berliner Taxifahrer wie geladene Gewehre, sie fahren aggressiv, fluchen, haben Stiernacken und quatschen dich voll mit ihren rassistischen Parolen. Da ist sie, die Stimme des Volkes, und zu mir hat sie schon oft genug gesagt: «Weismann? Ochn jüdischer Name, wa? Wohl vajessen zu vajasen, hahaha.»

Ich steige immer nur hinten ein. Wenn einer das Reden anfängt und die Klappe auch dann noch nicht hält, wenn ich hartnäckig auf taubstumm mache, lasse ich ihn rechts ranfahren, geb ihm sein Geld und steig aus. Lieber steh ich in der Kälte und warte auf den nächsten und hab Glück, daß der schon jenseits von allem ist und kein Gespräch mehr will.

Hat übrigens lange gedauert, bis ich so ganz selbstverständlich hinten einsteigen konnte. Mein Vater war nämlich direkt nach dem Krieg Chauffeur, und ich kann mich an die Herrschaftsattitüde gut erinnern, mit der das gnädige Fräulein die Tür aufriß, sich auf den Rücksitz flegelte, und vorne saß mein Vater mit Mütze und Handschuhen.

Heute kann ich das auch. Ich sitze hinten und zahle dafür, mir die Kerle nicht auch noch ansehen zu müssen auf der Fahrt zum Bahnhof, zum Hotel, zum Flugplatz. Ich wohne in Berlin immer im selben Hotel, immer im selben Zimmer. «Tut mir ja so leid», sagte der Portier, «war diesmal nicht zu machen, alles rappelvoll, ich kann Ihnen Ihr Zimmer heute nicht geben, aber ich hoffe, Sie fühlen sich trotzdem wohl bei uns», und zwinkerte mir so zu.

Wohl fühlen? Hat sich schon mal jemand in einem Hotel wohl gefühlt? Bei festmontierten Duschen, Aircondition, nicht zu öffnenden Fenstern, bei Musikberieselung im Fahrstuhl, der Bibel auf dem Nachttisch, ekelhaften Bonbons auf dem Kopfkissen und Moosröschen im Bad? Bei Frühstücksbüfetts mit Butter in Kleeblattform, und wenn du auf der Terrasse einen Espresso willst, heißt es: «Im Garten nur Kännchen!» Wohl fühlen? Meine Glückstests mach ich woanders, du Simpel. Zwölfter Stock. Der stumme Schwarze fuhr mit, trug mein Köfferchen, zeigte mir den Weg. Er grinste beim Aufschließen: sie haben mir die Suite gegeben, weil nichts anderes frei war – aber vielleicht wollen sie mich auch nur davon überzeugen, wie phantastisch ihr Hotel ist – zwei Zimmer, zwei Bäder, vier Telefone, Dachterrasse, imitierte Antiquitäten, Chinateppiche wie Bildchen aus dem Poesiealbum, symmetrische Lampen aus blauem Porzellan neben einem weißgeblümten Sofa, Marmorbad mit beleuchteter Alabasterwanne. Auf dem Tisch Champagner im Kübel, zwei Gläser, die Direktion heißt willkommen. Was nun?

Die Zeiten, in denen ich irgendeinen Kerl mit hoch nahm, um die Minibar nicht allein leer zu saufen, sind vorbei. Heute werfe ich lieber fünf Mark in den Hotelvideo, ziehe mir einen Schocker rein und riskiere nicht mehr, daß einer plötzlich sagt: «Ich heiß übrigens Johann. Ich liebe dich.» Aber so eine Suite und dann keiner da für das zweite Glas, und draußen tobte Berlin seinen ewigen Frust aus – das macht schon matt. Niemand, der mich über den Chinateppich schreiten und in der Alabasterwanne liegen sieht...

Ich bin dann gleich runtergegangen in die Hotelhalle und hab mir einen Gimlet bestellt, den sie nirgends so schlecht mixen wie hier. Der Pianist mit den öligen Haaren war immer noch da, wenn er mich kommen sieht, leitet er jedesmal unauffällig über zu «that's why the Lady is a tramp», und es ist eigentlich alles gar nicht zu ertragen. Verdammt noch mal, warum mache ich immer noch diesen Job, warum verlasse ich meine Wohnung und reise in diese Stadt, in der die Rentner sich mit Stöcken und Schirmen über die Straße kämpfen und die Fixer dir die Spritze hinhalten und sagen, los, Knete her, oder du hast die Spritze im Arsch und kriegst auch Aids.

Aber die Zeitung, für die ich arbeite, schickt mich mit Vorliebe hierher, meine Reportagen würden aus Berlin immer so besonders fuchtig, sagen sie. Diesmal mußte ich mit ein paar Nutten reden, die eine Demo für das steuerliche Absetzen von Reizwäsche gemacht haben, so was wollen die Leute lesen, und dafür bin ich zwei Tage unterwegs.

Auf dem Weg zu den Nutten mußte ich an den schwulen Bruno denken. Zufällig hatte ich in der Hotelhalle in einer Zeitung gelesen, daß er an diesem Abend in einem Club auftreten würde, und irgendwie wußte ich: das geht schief. Der paßte noch weniger nach Berlin als ich, und ich weiß genau, daß der schwule Bruno das, was er können will, eben nicht kann. Er ist nicht locker, er ist nicht cool, er sieht bescheuert aus in seinen schwarzen Lederklamotten, und seine Lieder sind einfach Scheiße. Sie würden ihn einmachen, ich spürte das. Wie ein Barometer den Wetterumschwung, so spüre ich, was mit Bruno ist. Schließlich haben wir uns fast mal geliebt. Eine Nacht mit abstrusen Verrenkungen haben wir zusammen verbracht und uns lauter gefährliche Heimlichkeiten erzählt. So was bleibt zwischen zwei Verrückten in der Luft wie Verbindungsfäden, und wenn das Leben an einem reißt, merkt es der andere auch. Dabei muß ich sagen, daß der schwule Bruno im Grunde eine ziemlich miese Ratte ist, aber nie mit mir, und was soll's auch. Am liebsten wär ich jetzt in diesen Club gegangen, hätte ihn rausgeholt und gesagt, Bruno *avanti*, jetzt gehen wir in meine Suite, legen uns auf den Chinateppich und gucken «Rocky IV», und du wirst sehen, Bruno, diese Nacht geht genauso rum wie die Nacht damals im September.

Statt dessen mußte ich zu den Nutten, in eine Bar mit Kinostühlen und lauter Spiegeln an den Wänden. Die Mädels waren ganz okay und irrsinnig engagiert, für und gegen dies und das, ein einziges Geplapper und Wichtiggetue, gar keine netten weichen Nutten mehr, wie mein Vater sie so geliebt hat. Heute diskutieren sie und marschieren in der ersten Reihe für Menschenrechte und Reizwäsche, und danach schreiben sie dann Taschenbücher über ihr wildes Leben. Aber diese hier waren wirklich ganz nett, beantworteten alle meine Fragen und segelten dann bis auf eine ganz in Lila auch ziemlich bald wieder ab. Die in Lila war Philosophiestudentin und machte das nur nebenbei, für die Miete, und irgendwie werd ich nie verstehen, wie sie das hinkriegen. Ich seh mir manchmal im Lokal, im Zug, auf der Straße, im Flugzeug, im Kaufhaus die Kerle an und stelle mir vor: der und der und der und der, und es ist dein Job, und du kannst nicht nein sagen – ich würde mich oder ihn oder die ganze Welt erschießen und staune über die Mädels, die das bringen und anschließend aufs Klo und dann ins Philosophieseminar gehen: «Der Neukantianismus – die akademische Reduzierung der Philosophie auf Erkenntnistheorie und Methodologie».

Quer durch die Kneipe kam dann so ein vergilbter Alternativer angesegelt, schwarzer Anzug, Stirnglatze, aber Zopf, ziemlich kleine Pupillen von irgendwas Geschnupftem und eine Gauloise blonde im Mund. Hey, sagte er, setzte sich zu uns und erzählte uns einen Albtraum, den er letzte Nacht hatte: Jemand hatte ihn auf einer Müllkippe abgeladen, und er kam nicht mehr runter und versank immer tiefer und hatte die Ratten schon auf Augenhöhe, und die ganze Zeit legte er seine feuchte Pfote auf mein Knie und wollte wissen, was das alles zu bedeuten hätte, dabei hatte ich gerade angefangen, so ein kleines bißchen mit einem gesunden Blonden, Baujahr 60, zu flirten, der einen so wunderbaren Haaransatz und eine eckige Stirn hatte. Aber der Müllträumer ließ nicht locker, ich heiße Fritz, sagte er, und oft bin ich wahnsinnig depressiv, und ob ich mir darunter was vorstellen könnte? «Keine Ahnung, Fritzchen», hab ich gesagt, «ich bin einfach immer gut drauf, aber wenn du's hinter dich bringen möchtest, kann ich dir genau sagen, wie du es machen mußt, ohne daß sie dir den Magen auspumpen oder dich zusammenflikken.» So genau wollte er es dann doch nicht wissen und ging schließlich mit der lila Philosophienutte weg, aber da war der Blonde auch schon nicht mehr da, und ich kriegte an der Theke noch ein bißchen Krach mit einem von der *TAZ*, der eine Theorie über den Marxismus aufstellte, die ich jetzt vergessen habe, es ging jedenfalls darum, daß man ohne Marx die Welt nicht verstehen könne, daß Marx aber auch nicht ausreiche, um die Welt zu verstehen, und ich sagte: «Liebe ist auch so ein Problem, das Marx nicht gelöst hat», und da schrie mich der Typ von der TAZ wer weiß wie an, dabei ist das gar nicht von mir, sondern von Anouilh, aber diese jungen Journalisten kennen ja immer nur das Allerneueste, da hat Anouilh keine Chancen.

Irgendwann bin ich dann ziemlich angeschlagen, aber allein, in meiner Suite gelandet, in diesem Bett, in dem vor mir schon Gina Lollobrigida geschlafen hat, wie mir der Portier noch mit auf den Weg in den 12. Stock gab. Ich hab vom schwulen Bruno geträumt und von seiner beschränkten kleinen Frau, die immer noch glaubt, er würde mal Karriere machen, ganz groß rauskommen und sie lieben, dabei saß er jetzt wahrscheinlich mit einem gekauften Stricher in einer Kneipe und heulte, und vielleicht sprang Fritz gerade vom 18. Stock in die Spalierbirnen, um sein Tief loszuwerden, und die lila Nutte lag unter einem fetten Versicherungsvertreter und memorierte Ernst Cassirers «Philosophie der symbolischen Formen», und meine Freundin Wanda kam auch in dem Traum vor, Wanda, die seit drei Jahren nicht mehr mit mir spricht – schlimme Nacht.

Nach solchen Nächten möchte ich am Flughafen am liebsten umbuchen: Mexico City oder Quito oder Lima, und nie mehr zurück, aber wie hätte ich das meiner Katze erklären sollen. Und wahrscheinlich geht ja in Mexico City auch schon alles drunter und drüber, also kann ich es auch lassen bei zehn Uhr fünfzehn, Frankfurt.

War keine gute Idee an diesem Samstagmorgen. Alle wollten weg, irgendwelche Ferien hatten angefangen, und da müssen die Berliner ja immer sofort weg nach Liechtenstein, Teneriffa oder an den Tegernsee. Ich verstehe zwar jeden Berliner, der aus dieser Stadt raus will, aber das sind ja alles solche, die danach wieder zurückkommen. Noch dazu war in der Nacht mal wieder eine Ami-Disco in die Luft geflogen, und entsprechend gründlich waren die Kontrollen. Ob der schwule Bruno mit seiner Vorliebe für Schwarze in der Ami-Disco gewesen war? Mir fiel dieser Abend in der Eisbärbar ein, wo wir vierzehn Tequila getrunken und darüber geflucht hatten, daß immer nur die andern in Bars stehen, in denen geschossen wird, in Flugzeugen sitzen, die runterfallen, auf Schiffen, die untergehen. Wir hatten nie solche Chancen, wir mußten unser ganzes Schicksal selber machen, kein Eingriff von oben. Nein, der schwule Bruno war mit Sicherheit nicht in der Ami-Disco gewesen, der hatte diese ganze lange Nacht durchstehen müssen wie ich, und wie ich würde er seinen schweren Kopf auch heute noch auf diesen Flughafen tragen.

Zwischen Gate 11 und 12 ist ein Laden, in dem man was trinken kann, Selbstbedienung. Ich redete mir ein, es könnte ja auch mal ein Kaffee sein am frühen Morgen, aber dann kam alles anders wegen der Oma vor mir. Sie roch nach Pipi und hatte ihre Brille vergessen, ich mußte ihr die Preise auf der Anzeigentafel vorlesen: Kotelett 4,80, Gemüsesuppe mit Brötchen 3,50, Hühnchen im Reisrand 7,20. Sie wollte Kotelett und ein Bier. Ich stell ihr alles aufs Tablett und mach ihr auch noch die Bierflasche auf, da läßt sie an der Kasse das Glas runtersegeln – tausend Scherben. Natürlich bück ich mich, und natürlich schneide ich mich. Ein tiefer Schnitt, quer über den Daumen, alles sofort voll Blut, und ich kann nur staunen, daß ich doch noch so lebendig bin. Die Oma war baff, sagte nett «und vielen Dank auch, Frolleinchen» und schob ab. Die Kassiererin rutschte von ihrem Stuhl, «ich kann kein Blut sehen!», rief sie und hauchte noch dazu: «Und Vorsicht wegen Aids.»

Jetzt interessierten sich bis auf ein paar Japaner alle für

mich und meinen Daumen, und es entstand eine Diskussion darüber, ob ich jetzt Aids kriege oder Aids verbreite.

«Das blutet ja wie bekloppt», sagte einer, und die Kassiererin würgte und verschwand in der Küche. «Und ich sage euch, so fängt das an, hier, wo alles so versypht ist, da kriegt sie Aids.» – «Wie soll sie denn hier Aids kriegen», sagte einer, «da müßte ihr schon 'n Junkie auffen Daumen spukken.» – «Oder Sperma», wußte ein Student und erntete den wohl größten Lacherfolg seines Lebens. «Wichs ihr doch drauf», riet die Punkliese mit den Ananashaaren und wollte sich gar nicht mehr einkriegen. Aus der Küche kam jetzt eine bleiche Gestalt in fettigen Klamotten – der Herrscher über Kartoffelsalat aus dem Eimer und Würste in Folie – mit Verbandskasten. Er schnitt ein großes Pflaster ab, klebte es rund über meinen Daumen, und ich erzähle das nur, um zu erklären, weshalb ich dann eben doch mit italienischem Rotwein anfing.

Das war die Woche mit dem Weinskandal, 28 Methanoltote allein in Italien, aber wie gesagt: Ich kann mich ja immer drauf verlassen, daß mir nichts passiert und ich mir meine Tode selber basteln muß.

Irgendwann mußte ich mich ja dann doch mal in die Schlange vorm Eincheckschalter für den Airbus klemmen. Ich versuchte, im Stehen wegzusacken und ein bißchen zu dösen, aber da kam dieser österreichische Liedermacher im bodenlangen weißen Ledermantel. Vor Jahren hatte ich eine Reportage über ihn geschrieben, in Wien übrigens, auch so ein Kapitel – Wien bleibt Wien, das ist eine fürchterliche Drohung. Der Liedermacher erkannte mich wieder, Küßchen, Küßchen, «wos mochst denn du da in Berlin? I hob an Funk, waaßt, komm grad von Lanzarote, bissel ausspannen, servas, Butzi», und als er dann endlich abzog in seiner

Parfümwolke, schob sich eine gute Sechzigerin mit knallrotem Mündchen ganz in Chanel auf mich zu. «Gell», sagte sie, «Sie sind's?» Ich nahm einfach mal an, daß ich es bin, denn ich war vor einer Woche im Fernsehen zu sehen in einer Sendung über die Sterilisation des Mannes, und da hatte ich mich mit einer rabiaten Feministin so ein bißchen geprügelt und eine gewisse Berühmtheit erlangt. «Nein so was», sagte die Rotmundige mit den Krokoschühchen entzückt, und das müsse sie ihrem Mann sagen, der sei da vorne. «GREEEEEGOR!»

Ein Kopf mit schütterem Haar drehte sich um, lächelte müde, winkte fahrig, und sie ließ ihr helles Lachen perlen und rief: «Weißt du noch, Gregor, die Dame aus dem Fernsehen!»

Die Warteschlange freute sich, daß endlich was los war, und ich dachte wieder mal: Warum bin ich eigentlich nicht Deutschlehrerin in einer kleinen Stadt geworden und bringe den Kindern bei, daß Eduard Mörike Zeit seines Lebens starke Affekte gemieden hat, jene krankhaften Poetenzustände der fliegenden Hitzen, wo man bunte Liköre trinkt statt echten Wein... meine neue Freundin befindet sich in just so einem Zustand. «Ich bin», raunte sie, «Schriftstellerin, und ich habe ein zauberhaftes Buch geschrieben über einen Hund, Gedanken eines Hundes. Ich werde es Ihnen schenken.» Sie rauschte zu Gregor, und ich betrachtete den Mann vor mir. Er trug einen Pepitamantel, hatte drei bordeauxrote Koffer, und auf seinem Kopf saß eine verrutschte Perücke. Ich hätte was drum gegeben, jetzt sofort auf einer einsamen Insel zu sein, am liebsten mit dem schwulen Bruno, und wir würden tagelang kein Wort reden, uns nicht einmal ansehen, einfach nur dasein. Vorne ging Gregor in die Knie und kramte in einer Reisetasche. Die Dichterin kam zurück und wollte mir das Buch nicht nur schenken, sondern auch widmen. «Vergriffen», sagte sie, «aber für Überraschungsbekanntschaften habe ich immer eins dabei.» Sie kramte in ihrer Krokotasche nach einem Kugelschreiber und deutete meinen trostlosen Blick falsch.

«Ich weiß, was Sie jetzt denken», sagte sie. «Heute würde ich so eine Tasche auch nicht mehr kaufen, aber damals hatte man ja das Bewußtsein noch nicht. Die Krokodile werden lebend gehäutet, das müssen Sie sich einmal vorstellen.» Ich stellte es mir vor, kam dabei ordentlich in Stimmung, und sie fand endlich einen Kugelschreiber. Wehgesichtig drehte sich die Perücke um und mußte den Aktenkoffer als Schreibunterlage halten, einbezogen in den neuen Freundeskreis. Die Dichterin schrieb Worte des Entzückens und der gleichen Wellenlängen in ihr längst vergriffenes Buch, und im Flugzeug habe ich die Gedanken eines Hundes dann sofort in die Kotztüte geschoben, weil ich Bücher mit Widmungen einfach nicht ausstehen kann.

Der Mann mit der Perücke seufzte, die Widmerin war endlich fertig und beschwor mich: «Und wenn Sie mal nicht wissen, über wen Sie schreiben sollen – mein Leben war ja so reich, ich könnte stundenlang erzählen.»

Mein Daumen pochte, und ich dachte an Hiobs sinnlosen Streit mit dem Herrn darüber, warum er uns Plagen auferlegt: «Wenn ich mich gleich mit Schneewasser wüsche und reinigte meine Hände mit Lauge, so wirst du mich doch tauchen in Kot und werden mir meine Kleider greulich anstehen. Gefällt dir's, Herr, daß du Gewalt tust und mich verwirfst, den deine Hände gemacht haben?»

Wie wir wissen, gibt Hiob am Ende klein bei, und da endlich segnet ihn der Herr. Der Herr kann mich mal.

«Ich war auch einmal Schauspieler.» Der Mann mit der Perücke bekannte das nun entschlossen und wollte mir die Hand reichen. Ich deutete auf den verbundenen Daumen, behielt meine Hand für mich und sage: «Ach was.»

«In Offenburg. Aber heute mache ich ganz etwas anderes.»
Ich schwieg. Ich schwieg, aber sein Blick bat so demütig um Nachfrage, die ganze Gestalt lauerte meinem Interesse so fiebernd entgegen, daß meine preußisch-protestantische Erziehung, das ewige Gefühl, für alles persönlich verantwortlich zu sein, wieder einmal siegte, und statt aus der Schlange schweigend auszuscheren, eine Maschine später zu buchen und noch einen halben Liter reinzuschütten, sagte ich doch tatsächlich: «Was denn?»

Ich Idiotin. Warum sagte ich nicht wenigstens: «Ihre Perücke sitzt schief» oder «Fick dich doch ins Knie, Mann»? Jetzt baute sich diese Unglücksgestalt vor mir auf, schwoll an, bekam Züge eines entschlossenen Wanderpredigers und tönte mit beeindruckender Stimme: «Jetzt bin ich Vertreter für Kunstglieder.»

Und er beeilte sich hinzuzufügen: «Nicht Prothesen für Arme oder Beine, sondern Glieder. Ich bin Vertreter für Kunstpenisse.» Ich war jetzt sicher, daß der Mann zu Beginn seiner Berufslaufbahn einen dieser «Be-yourself, man»-Kurse auf Firmenkosten besucht hat, wo einem psychologisch geschulte Eintänzer beibringen, daß man sich niemals seiner selbst und seines Berufes wegen zu schämen hat und wann, wo und vor wem auch immer frei, laut und offen darüber sprechen kann. Ist es denn nicht auch, meine Damen und Herren, in der Tat ein schöner, ja, ein erregender Beruf, dem impotenten Teil der Menschheit zu neuen Freuden zu verhelfen? Ich stellte mir Scharen von Männern ohne Unterleib vor, Kunstpenisse aller Größen und Formen in Regalen an langen Wänden und in den drei bordeauxroten Koffern, und alle, die sich uns jetzt zuwandten – und es wandten sich uns ALLE zu – stellten sich dasselbe vor.

«Vertreter für Kunstpenisse!» Er rief es federnd, rhythmisch, begeistert, er ließ mich nicht mehr aus den Augen, forderte nun Anerkennung, er sprühte, er brannte lichterloh, schilderte entsetzliche Schicksale. Wie vielen Bettlägerigen hatte er nicht schon helfen können! Den Querschnittgelähmten! Den Opfern schwerer Motorradunfälle! Den psychisch Kranken! Da schlägt keine Therapie mehr an, aber unser Kunstpenis bewirkt wahre Wunder, gibt das Selbstbewußtsein zurück, schenkt neuen Lebensmut, trocknet Frauentränen, denn – und noch einmal hob er entzückt die Stimme:

«Der Geschlechtsverkehr gelingt damit quasi mühelos.»

Quasi mühelos. Das Thema hatte nun alle Reisenden in der Warteschlange gepackt, bis auf die beiden verzweifelten kleinen Iraner ganz vorn, die unfreundlich gefilzt, ausgefragt und überprüft wurden. Berlins schlechte Nerven lagen wegen dieser Ami-Disco mal wieder offen auf dem Tisch.

Mein Retter der Menschheit erzählte jetzt tüchtig aus seinem Leben, von Reisen, Tagungen und Anstrengungen war da die Rede, von Aufopferung und unermüdlichem Einsatz, und, ja, doch auch von Erfüllung, nicht wahr, und von freudigen Momenten warmen Glücks, und warum ich ihn nicht einmal besuche, wenn ich nach Oberursel komme? Aber unbedingt, mein Freund, und dann zeigst du mir deine Sammlung mit Kunstpenissen, und den Schönsten nehm ich mit für den schwulen Bruno.

Geübte Reisende, die ich bin, kramte ich am Schalter so lange nach meinem Ticket, bis der Retter der Entmannten schon mal eingecheckt hatte bei Nichtraucher, und ich nahm dann natürlich Raucher. Und wenn ich die nächste Stunde neben einem sitzen müßte, der zwei Monte Christo à 18 Mark in fünfzig Minuten paffen würde – nur weg von diesem Kenner künstlicher Haare und Glieder.

«Oh», sagte er, «Raucher, wie schade, wir sitzen nicht zusammen.»

Ich balancierte auf den letzten Nerven neben einen Dicken, der nach Schweiß stank, als er seine Jacke auszog, und der den *Rheinischen Merkur* las. Ich schloß die Augen und versuchte, tot zu sein, obwohl ich noch gesehen hatte, daß der Blonde, mit dem ich gestern abend eigentlich hatte anbandeln wollen, in die Maschine stieg. Aber so was Gesundes konnte ich jetzt wirklich nicht ertragen.

Wenn du im Flugzeug gerade wegsackst, begrüßen dich Captain Fisher und seine Crew an Bord ihres Clippers, wünschen dir einen guten Flug, erzählen dir, wie hoch wir sind und wie das Wetter in Frankfurt sein wird. Alles ist darauf aus, einen zu Tode zu quälen.

Pünktliche Landung, und dann der Achtzehn-Kilometer-Gang durch den Frankfurter Flughafen zur Gepäckausgabe. Immer wieder ein Albtraum – Menschen Menschen Menschen, im Nadelstreifen, in neongrellem Sportzeug, im Kostüm, im Kaftan, im Burnus, mit Turban, mit Hut, mit Baseballkappe, Geishas, Mohrenfürsten und Reisende in englischem Tuch, Gestank, Krach, Gedrängel. Graue Gesichter, alle sind eilig, keiner sieht einen Sinn in gerade dieser Reise, jeder schwirrt entwurzelt umher, will nach Hause, weiß nicht, wo das ist. Alles Exotische ist mir zuwider, bunte Völkervielfalt kann ich auf den Tod nicht leiden, alles lenkt mich ab von dem, was ich eigentlich denken will, aber ich weiß schon nicht einmal mehr, was ich denken will. Ich beneide Emily Dickinson, die sich mit 26 Jahren in ihr Zimmer zurückzog, da dreißig Jahre bei voller Gesundheit blieb und herb-schöne Gedichte schrieb, oder die fette Droste, eingeklemmt in ihren Bodensee-Turm. Warum gehe ich immer und immer wieder aus dem Haus, wo ich doch weiß, was mich da erwartet?

Eine Ansagerin aus dem Schweizer Fernsehen, ganz in Rosa, nickte mir zu, man kennt sich aus der Presse, und ich staunte darüber, daß selbst Schweizer ihre Heimat also ab und zu doch verlassen.

Darüber habe ich noch nie nachgedacht, und es sieht richtig rührend aus, eine Schweizerin im Ausland – ganz verloren. Von allen Völkern, die ich kenne, mag ich die Schweizer am wenigsten. Nein, die Österreicher. Nein, doch die Schweizer. Ist ja auch egal. Ich mag sie alle nicht.

Als der Koffer endlich kam, war der Anschlußzug weg. Ehe ich am Flughafen noch weiter Völkergemisch beobachte, fahre ich lieber mit dem Taxi zum Hauptbahnhof und warte da auf den nächsten IC. Ich kann dann durch die Kaiserstraße gehen, mit den Junkies schwatzen und einen Schlagring oder ein gutes Klappmesser kaufen, das kann man immer brauchen. In Frankfurt hat Deutschland die Strafe gekriegt, die es für diesen Krieg verdient hat. Das seh ich immer gern.

Der Taxifahrer war einer von diesen Cholerikern, die die Polizei hassen und danach gieren, die Straßenverkehrsregeln zu übertreten.

Ich sagte: «Zwanzig Mark Trinkgeld, wenn ich den IC zwölf Uhr zwanzig noch kriege», und er sagte: «Hinten hinlegen.»

Endlich einer, der dich in ein entlegenes Waldstück bringt und erwürgt, dachte ich und legte mich auf die Polster, die nach Rauch und Gekotztem stanken. Der Kerl brauste los, «zweiundzwanzig Prozesse», sagte er, «gegen die Polente, und alle gewonnen, denen zeig ich's, bis sie fix und fertig sind.»

Angefangen hatte alles mit einer alten Frau, eingegipst bis zum Bauch, die mußte er die Treppe rauftragen. Einen Moment nur im totalen Halteverbot, kommt so ein Polizeiarsch und will ihn aufschreiben. «Den hab ich umgenietet», sagte mein Ritter der Autobahn, «und den Prozeß hab ich verloren, das war aber der einzige.» Von nun an nur noch Übertretungen – zu schnell gefahren, falsch geparkt, rechts überholt, waren aber alles Notfälle – «Lassen Sie mich weiter, oder Sie haben ein Menschenleben auf dem Gewissen!» – «Hätte ich den Mann hintendrin sterben lassen sollen?»

Wir fuhren 170 Stundenkilometer, wo 80 erlaubt sind, und ich bekam Anweisung, bei Polizeistopp kein Wort zu sagen, nur röchelnd nach Luft zu schnappen und Spucke aus dem Mund laufen zu lassen, «Herzanfall, klaro?»

Klaro. Komischerweise bekam ich beinah wirklich einen Herzanfall, aber ich bin doch robuster, als man denkt, und wir waren schneller als die S-Bahn am Hauptbahnhof. «Hochkommen!» Das Trinkgeld lehnte er ab, war ihm ein Vergnügen, Spaß muß sein bei der Beerdigung.

Natürlich hatte der Zug zwanzig Minuten Verspätung, und ich konnte an einem klebrigen Stehtisch noch zwei Bier reinschütten und mir die Durchsagen anhören – Verspätung, Defekt in der Oberleitung, keine Heizung, kein Großraumwagen, kein Münztelefon im Zug.

Scheiße. Ich fahre nur im Großraumwagen, weil ich Sechsmannabteile mit Konversation und belegten Broten nicht aushalte. Ich setz mich im Großraumwagen immer ganz nach hinten in die Nähe des Münztelefons und hör den Trotteln zu, die in der Kabine brüllen: «Hier ist Papi. Ich telefonier im Zug! Im Zuuuug!!! Sprich doch mal lauter, Irene! Ja, Verspätung. Weiß ich nicht. Ist alles gutgegangen bei Bergmann – Irene? Herrgott, sprich doch lauter. Ich hab keine Mark mehr, ich – Irene?»

Und mit hochrotem Kopf kommt er dann zurück vom Telefonieren, und ich stell mir Irene vor. Ihr Papi ist einer von den

Typen, die im Speisewagen immer zu mir an den Tisch kommen und fragen: «Ist hier noch frei?» und die keinen Hunger mehr haben, wenn ich antworte: «Ja, aber da drüben auch.»

Kein Großraumwagen, ein Abteil mit einem alten Ehepaar. Ich machte wieder die Augen zu und spielte Tod oder Schlaf.

«Also, Elli», sagte der Alte, «wenn dich die Kinder fragen, was du dir zu deinem Siebzigsten wünschst...»

«Ich hab alles. Ich wünsch mir nichts.»

«Du mußt dir aber etwas wünschen. Die Kinder wollen dir zum Siebzigsten was schenken.»

«Was soll ich mir denn wünschen, für die paar Jahre, die ich noch hab.»

Den Satz kenn ich von meiner Mutter, die seit dreißig Jahren mit wehem Blick die Kerzen anschaut und so tut, als wär dieses Weihnachten ihr letztes. Ich machte die Augen einen Spalt auf und sah mir die Alte an – ein Kernkraftwerk, wie meine Mutter. Die würde auch den Neunzigsten noch feiern, in leidender Demutshaltung, dem Tod so nahe, diese starken, bösen alten Frauen, die immer und immer den Deppen an ihrer Seite überleben, und dann kommen endlich die schönen Jahre. Seit mein Vater tot ist, trägt meine Mutter himbeerrote Schuhe.

«Wenn du dir nichts wünschst, bist du blöd, Elli», sagte der Alte. «Die Kinder haben genug Geld, die sollen ruhig zusammenlegen und dir was Anständiges schenken. Das seh ich doch gar nicht ein, einfach nichts. Das könnte denen so passen.»

«Eine schöne Wolldecke.»

«Wir haben doch eine Wolldecke.»

«Ich sag ja, ich brauch nichts.»

Jetzt wurde der Alte listiger. Er war doch nicht so dämlich, wie ich gedacht hatte: «Elli, wenn dich die Kinder also fragen, was du dir wünschst – und ich weiß, daß sie dich fragen werden, Renate hat mich neulich in Gütersloh schon gefragt, was wünscht sich Mutter eigentlich zum Siebzigsten...»

«Und was hast du gesagt?»

«Ich hab gesagt, Mutter wünscht sich ja immer nichts.»

«So ist es auch.»

«Wenn sie dich jetzt fragen, dann sagst du einfach: Ich wünsch mir nichts, aber Papa will nach Spanien.»

«Du willst nach Spanien?»

«Du willst ja nicht mit.»

«Das ist viel zu heiß für dich. Das macht dein Herz nicht mit.»

Wie rührend, sie dachte an sein Herz. Aber er ließ nicht locker. Er war im Bürgerkrieg gegen Franco, und jetzt war Ehemaligentreffen. Die paar Kumpel von damals, die noch leben, die will er in diesem Herbst wiedersehen.

Ich öffnete die Augen und sah mir den Alten an. Ein gutes Gesicht, ich dachte: Bürgerkrieg, Donnerwetter, endlich mal ein alter Vater, der eine Lebensgeschichte hat und seine Kinder jetzt ausbeuten will, anstatt vor ihnen auf den Knien zu rutschen.

«Sollen sie das doch bezahlen, Elli. Sie haben genug Geld, und ich will nach Spanien. Das kannst du ihnen doch sagen.»

«Aber es ist doch mein Geburtstag», knurrte die alte Hexe, doch er ließ nicht locker, und ich wurde ganz vergnügt bei dem Gedanken, wie die Kinder ihm die Reise zahlen würden, und er würde in Granada sitzen mit den alten Frontkämpfern, Karten spielen bei untergehender Sonne, er würde von damals erzählen und Postkartengrüße ohne Absender schicken an Elli, die in Gütersloh bei Renate hocken würde und sich irgendwie verarscht vorkäme.

In Karlsruhe mußten wir alle raus, Elli und der Alte wurden von einem zu kurz geratenen Sohn abgeholt, der Kindesliebe vortäuschte und sich nicht zu fragen traute, wie lange sie wohl diesmal bleiben wollten.

Ich mußte in einen Bummelzug umsteigen und saß mit einer jungen Mutter im Abteil, die Kopfhörer trug und laut aufdrehte, damit sie ihre beiden quasselnden Kinder nicht hören mußte. «Mama guck mal der Mann mit der roten Mütze jetzt pfeift er jetzt fahren wir ab wenn ich nach Hause komme mache ich sofort Fernsehen an ich will eine Apfelsine Mama ich muß mal Mammammamamma.» Mama scherte sich einen Teufel um die Gören mit ihren Rotznasen. Sie sah müde aus, hatte gebleichtes Haar, Tigerfellhosen und ein Lou-Reed-T-Shirt. Der billige Walkman quäkte laut, und sie sackte weg zu Annie Lennox, *talk to me like lovers do*, und die Kinder zerrten an ihr herum und kommentierten die Gegend und redeten und waren so gräßlich, wie Kinder eben sind, und sie saß da mit geschlossenen Augen, auf der Suche nach einer besseren Welt. *Talk to me like lovers do.*

Mein Daumen war heiß, pochte, tat weh, würde sich entzünden. In Rastatt stiegen Mutter und Kinder aus, und zum erstenmal an diesem Tag war ich allein. Es war totenstill. Der Zug stand noch eine Weile, als hätte ihn jemand hier auf diesem gottverlassenen Provinzgleis vergessen. Ich hörte mein Blut klopfen, und endlich liefen mir die Tränen übers Gesicht.

Apocalypse Now

Es regnete seit dem frühen Morgen aus einem schwefelgelben Himmel, als wollte die Welt untergehen. Wir warteten auf Agnes. Der Regisseur, der auch zugleich Autor und Produzent des Films war und dem das Geld im wochenlangen Regen buchstäblich wegschwamm, saß mit der brettförmigen Regieassistentin, die auch genausogut ein Mann hätte sein können mit ihrem ausrasierten Nacken und ihrer tiefen Stimme, vor Pfefferminztee und sprach noch einmal die Szene durch, die man mit Agnes an diesem Abend drehen wollte. Ich lungerte am Tischende herum und aß das dritte Stück Apfelkuchen. Ich war Scriptgirl bei diesem Film, bei dem von allem Anfang an alles schiefging, und ich überlegte jeden Morgen beim Aufwachen in meinem klammen Bett in diesem billigen Provinzhotel, ob ich verzweifeln oder mich amüsieren sollte. Vier Wochen Dreharbeiten in Italien, und drei davon in strömendem Regen – wir hatten Außenszenen nach innen verlegen oder ganz streichen müssen, das halbe Team war erkältet, die Wege versanken im Matsch, und unsere Schuhe und Kleider wurden gar nicht mehr trocken. Seit dem dritten Drehtag sprachen Regisseur und Kameramann nur noch das Allernötigste miteinander, und ich hatte das Gefühl, daß der Kameramann – er hieß Torsten – verbissen versuchte, den Film zu ruinieren. Alle im Team duzten sich, wie das bei einer so zusammengewürfelten Schicksalsgemeinschaft für ein paar Wochen an irgendeinem Ort üblich ist, nur Torsten wollte gesiezt werden. Damit hatte es überhaupt angefangen, daß er der Regieassistentin, die Gisela hieß – wir nannten sie heimlich Krisela –, das Du verbot, nur ihr, weil er sie von einer anderen Produktion schon kannte und sie nicht mochte wegen ihres harschen Tons. Daraufhin hatte der Regisseur gesagt: Wenn *sie* dich siezen muß, dann siezen wir dich alle, und um ihn zusätzlich zu ärgern, nannten wir ihn Herr Torsten. Herr Torsten saß in einer Ecke des Restaurants und schrieb in ein kleines Buch. Wir alle glaubten, daß er Beschwerden und Klagen aufschrieb, um sie für die Ewigkeit festzuhalten oder bei späteren Produktionen gegen jeden von uns etwas in der Hand zu haben. Unsere italienischen Darsteller spielten lustlos Karten und tranken Rotwein, das heißt, die Männer. Die Frauen zeigten sich gegenseitig Photos, blätterten in Modeheften oder strickten. Die Beleuchter und die Tontechniker waren in die nahegelegene Stadt gefahren, der Szenenbildner fuhr mit zweien seiner Helfer ins Nachbardorf, wo sie schöne Schreinerstöchter kennengelernt hatten, und der Aufnahmeleiter war nach Mailand gefahren, um Agnes abzuholen. Agnes, die außer dem Regisseur niemand von uns kannte, der aber der Ruf vorauseilte, heikel, schwierig, launisch, kurzum, eine Ziege zu sein. Aber, sagte der Regisseur, für die Rolle genau richtig, und es ist ja nur die eine Woche, da müssen wir durch, Kinder. Wir hatten alle keine Lust mehr, da durchzumüssen – wir mußten schon durch genug durch in diesen Wochen. Die Kostümbildnerin, Marja, setzte sich seufzend zu mir an den Tisch mit einem Korb voller Klamotten.

Was der immer hat, flüsterte sie, ich wasch und bügel alles, weil sich sonst die Schauspieler weigern, das dreckige Zeug anzuziehen, und er will – sie zeigte mit dem Kinn in Richtung

Regisseur –, daß alles schmuddelig und schmierig aussieht. Was soll ich denn jetzt machen?

Laß es Salvatore anziehen, sagte ich, nur zehn Minuten, dann sieht es schmuddelig und schmierig aus.

Salvatore war der Wirt in dem Film, und der sollte nun gerade nicht schmutzig sein, sondern nur die Landarbeiter, die ihren Grappa bei ihm trinken kamen. Aber Salvatore konnte anziehen was er wollte und nur ganz still herumstehen – peng, hatte er schon irgendwo Rotweinflecken oder eine fettige Hose, und die Landarbeiter kamen nach zehn Stunden Feldarbeit in gebügelten Hemden und Hosen in die Kneipe. Der Regisseur und Marja lagen sich deswegen seit Tagen in den Haaren, und ich wußte nie, zu wem ich halten sollte, denn ich mochte Marja gern, aber in den Regisseur war ich heimlich ein bißchen verliebt.

Es war schon mein zweiter Film mit ihm, beim ersten war es noch chaotischer zugegangen. Das war ein Looser, dem ging alles schief – er hatte gute Ideen und eine nette Art, aber er war nicht energisch genug mit diesem Sauhaufen von einem Filmteam. Er brüllte sie nicht an, und solche Leute müssen angebrüllt werden, ob es einem nun paßt oder nicht – anders geht das nicht. Wenn du an den Drehort kommst und bist nett, hast du schon verloren. Einem Team erklären, was man mit dem Film ausdrücken will? Ach du lieber Gott. Das interessiert die doch gar nicht. Jeder macht seinen Job, und keiner hat einen Blick über seinen kleinen Kasten hinaus für das Ganze, im Gegenteil, wenn eine Szene versiebt wird, weil der Ton nicht stimmt, feixen die Beleuchter und sagen: an UNS liegt es nicht, und wenn der Regisseur dann bittet, alles noch mal zu drehen, ziehen sie die Kabel raus und sagen: Feierabend! oder: Das erlaubt die Gewerkschaft nicht, und du stehst mit deiner Nettigkeit im Regen. Dieser Regisseur war freundlich, liebenswürdig und hörte sich den ganzen persönlichen Kram an, mit dem sie ihn alle belästigten – Carla kam nicht vom Saufen weg, weil ihr Mann sie verlassen hatte, Irmin mußte alle drei Tage nach Hause fahren und in der Nacht zurück, er war ständig übermüdet und paßte nicht auf, aber seine Frau hatte Zwillinge bekommen und eines davon kränkelte, brüllt man da einen schläfrigen Aufnahmeleiter an? Krisela zog jede Menge Koks in ihre große Nase, und nächtelang versuchte der Regisseur, ihr das auszureden, und der Szenenbildner beschlief die Mädchen der Gegend und handelte sich Ärger mit deren Eltern ein, die zum Regisseur kamen, um sich über das Künstlerpack zu beschweren.

Bei unserm vorigen Film war es noch schlimmer gewesen. Es war die Geschichte einer Reisegruppe in Fernost. Einer aus der Gruppe sondert sich ab, verliebt sich in ein asiatisches Mädchen und bleibt für immer in Bangkok. Ich war auch bei diesem Film zunächst Skriptgirl gewesen, mußte aber am Ende als Statistin mit einspringen, weil das Geld ausgegangen war und an allen Ecken und Enden gespart wurde. In Thailand hatten wir nur gerade die Außenaufnahmen drehen können, und für die Szenen im First-class-Hotel mieteten wir nun in Deutschland die große Eingangshalle und das Kaffeestübchen eines vornehmen Altenstifts in einem Kurbad an. Mit ein paar Umbauten wurde ein exotisches Ambiente geschaffen – niedrige Sitzmöbel kamen in die Halle statt der tiefen Samtsessel, an der Rezeption standen mandeläugige Mädchen in taubenblauen Seidensarongs, und auf den Rattantischchen wurden die Strohblumen durch Orchideen ersetzt. Die Eingänge waren mit Mahagoni-Imitaten und Messingverzierungen verkleidet worden, und über dem «Kaffeestübchen» stand jetzt mit Bambusbuchstaben «Rattan Coffee Shop».

Die Alten, die im Haus wohnten, waren durch einen Anschlag am Schwarzen Brett von der Heimleitung informiert worden, daß für fünf Tage Dreharbeiten in der Halle und im Kaffeestübchen stattfänden, und wer wolle, könne gern zuschauen. Manchmal waren zwei alte Damen, feingemacht mit ihren besten Blusen und alten Perlenketten, zaghaft am Rand stehengeblieben, um ein wenig zuzuschauen, aber der Aufnahmeleiter hatte sie jedesmal unwirsch verscheucht. Aufnahmeleiter sind die Pest bei Dreharbeiten. Man braucht sie, aber sie sind hassenswerte und unsensible Kreaturen, die immer Jeans mit hängenden Ärschen tragen und billige Pullover, die nach Schweiß riechen. Die alten Damen waren dann traurig in den kleinen Lesesalon neben der Halle gehuscht, den wir nicht okkupiert hatten und wo ständig drei uralte Männer, einer davon im Rollstuhl, unter dem düsteren, riesigen Ölgemälde, das eine Ruine zeigte, mißmutig Bridge spielten. Ich hatte mir mal die Bücher im Glasschrank angesehen, abgegriffene, zerfledderte Bände mit Titeln wie «Eines Menschen Zeit», «Ich habe gelebt», «Warum ich Christ bin» oder «Der Engel mit dem Schwert» von Pearl S. Buck und «Der Gasmann» von Heinrich Spoerl. Mittendrin stand ein Buch falsch herum, mit dem Rücken nach hinten, und als ich es umdrehte, sah ich, daß es Nabokovs «Lolita» war. Das hat mich sehr gerührt, und in den folgenden Tagen beobachtete ich die alten Männer, um herauszufinden, wer der Schlingel sein könnte, der es heimlich las. Ich tippte schließlich auf den alten General in dem blauen Blazer mit Goldwappen auf der Brusttasche. Er war ein großgewachsener, böse aussehender Mann mit einem schwarzen Krückstock mit silbernem Knauf. Herrisch ging er mitten durch die Halle, wenn wir gerade drehten, und der Aufnahmeleiter rang vergebens die Hände und versuchte, ihn zurückzuhalten. Ich habe, rief der General mit schneidender Stimme, mich in dieses Etablissement teuer genug eingekauft und zahle fünftausend Mark im Monat, da werde ich diese Halle durchqueren, wann, wie und wie oft ich will, junger Mann.

Und dann lief er mitten durch die Szene auf unsern Hauptdarsteller zu, der – dem Film entsprechend – in Bermudashorts und Hawaiihemd an der Rezeption stand, schlug ihm mit dem Stock an die Beine und sagte: Ich verlange, daß Sie sich anständig kleiden und hier nicht in diesem Aufzug herumlaufen. Er verdarb uns eine Szene nach der andern, denn er ging oft ein und aus, und er begriff einfach nicht, daß es sich um einen Film handelte. Er und die beiden schüchternen Damen waren es auch, die sich auf der Tafel als Gäste eintrugen – Gäste für den «Ausflug in den Elefantenkraal», den wir laut Drehbuch für unsere Filmtouristen ausgeschrieben hatten. Wir konnten ihnen mit Engelszungen erklären, daß es doch hier, in einem deutschen Kurbad, keinen Elefantenkraal gäbe – sie waren nicht davon abzubringen, Mittwoch um fünf Uhr aufzustehen und mit uns zum Elefantenkraal zu fahren. Unsere Dreharbeiten gingen zum Glück an einem Montagabend zu Ende, aber ich bin sicher, sie standen in weißem Leinen und Khaki perfekt gekleidet Mittwoch früh um fünf am Portal und wurden ein letztes Mal von uns enttäuscht. Einmal hatte der Regisseur für die beiden alten Damen Stühle an der Seite aufstellen lassen. Sie durften bei der Szene zuschauen, in der die Touristen im Hotel ankommen und von den Thaimädchen mit einem Cocktail begrüßt werden. Sie konnten sich nicht genug wundern, warum über Stunden und Stunden immer wieder angekommen wurde, immer wieder Koffer rein, Koffer raus, bis dann endlich die Szene doch im Kasten war und der Aufnahmeleiter nach einem erleichterten Kopfnicken des Regisseurs gerufen hatte: Gestorben! Da hatten sie erschrocken die Köpfe zusammengesteckt und gefragt: Gestorben? Wer ist gestorben?

Ich mußte eine stumme Touristin spielen, die in einem dünnen Kleidchen vor einem Tee saß und die Neuankommenden musterte. Der schwule Maskenbildner fummelte mir mit seinen feuchten Händen jeden Morgen eine Spießerfrisur auf den Kopf und malte mir Urlaubsbräune in mein erkältetes, blasses Gesicht, und dann fror ich mich in meinem Fähnchen halb zu Tode und durfte zusehen, wie der Produktionsleiter in einer Art Cape durch den Raum schwirrte und rief: Schneller, Kinder, schneller, das wird ja alles viel zu teuer, und ich hoffte immer, daß der Regisseur einmal aus der Haut fahren und schreien würde, aber er blieb nett, und so wurde der Film eben schlecht. Einmal war für den Nachmittag – wohl schon Monate vorher – eine Hausmusik für das Altenstift angesetzt worden, und als wir gerade Rückkehr vom Elefantenkraal drehten, begann ein quarkgesichtiger Pianist im kleinen Lesesalon Beethovensonaten zu spielen. Nicht mal da drehte der Regisseur durch und auch dann nicht, als der General absichtlich über ein Kabel stolperte, um sich anschließend lautstark zu beschweren. Ich hatte genau beobachtet, wie er mit seinem Stock in den am Boden liegenden Kabeln herumstocherte, dann aufblickte, ob ihn jemand sah – der Regisseur trug immer eine dunkle Brille, aber ich wußte, daß er in diesem Augenblick den General anschaute. Der ging zielstrebig los, mimte ein Stolpern, rief laut um Hilfe und ließ sich vom Aufnahmeleiter auffangen. So geht es nicht, schrie er, man bricht sich Hals und Bein, das muß alles hier weg! Nicht mal da war der Regisseur ausgerastet und hatte gerufen: Sie müssen hier weg! Er war freundlich geblieben und hatte dem Alten zum hundertstenmal erklärt, was ein Film ist.

Und jetzt sollte Agnes kommen, der dramatische frustrierte Schrecken aller Provinztheater, Agnes mit dem hennaroten Haar, den zahllosen Affären und den legendären Launen. Ich fror, kroch noch tiefer in meinen Apfelkuchen und schmierte Flecken auf Marjas frischgewaschene Arbeiterklamotten. Draußen wurde es immer dunkler, und Robert, der Requisiteur, sagte: Ich möchte mal wissen, wann wir die Szene mit den Fliegen denn nun endlich drehen können, der Marinelli macht das nicht mehr lange mit.

Wir brauchten für eine Szene im gleißenden Sonnenlicht Fliegen, die vor ein Fenster brummen sollten, aber es regnete und war viel zu kalt für die Jahreszeit, und nie waren Fliegen da. Der Requisiteur hatte in einer Nacht- und Nebelaktion eines Tages aus Leverkusen von der Firma Bayer drei Kartons Fliegenlarven geholt, die wurden im Keller des Dorfinstallateurs Alessandro Marinelli gelagert und durch kleine Löcher mit Zuckerlösung und Polentakrümeln gefüttert. Inzwischen waren die Fliegen ausgeschlüpft und donnerten gegen die Kartonwände. Frau Marinelli bekam bereits Angstzustände, wenn sie in den Keller hinunter mußte, um Wein vom Faß zu holen. Aber es gab keinen Sonnentag, an dem wir unsere gemästeten Brummer gegen ein lichtdurchflutetes Fenster hätten loslassen können...

Überhaupt spielten Tiere eine seltsame Rolle in diesem Film. Da mußte zum Beispiel eine Giftschlange für eine Einstellung durch die Wiese huschen. Aus Como kam ein Spezialist mit einer Flasche, in der die Schlange war, und natürlich wurde in einem Kühlschrank auch das nötige Serum deponiert, falls jemand gebissen werden sollte. In dem engen Raum, in dem wir eine turbulente Szene drehen mußten, standen viele leere Weinflaschen auf dem Fußboden, und irgendwie war die Flasche mit der Giftschlange darunter geraten. Beim Rückwärtsgehen hatte der Kameraassistent von Herrn Torsten die Flasche umgestoßen, die Schlange war herausgekrochen und auf Nimmerwiedersehn verschwunden.

Tagelang gingen wir alle nur mit gesenkten Blicken und in ganz stabilen Schuhen herum, der Experte schimpfte und verlangte Schadensersatz, aber die Schlange blieb verschwunden, und schließlich reiste er wütend mitsamt seinem Serum wieder ab. Wir machten Witze darüber, was wohl giftiger sei: der Schlangenbiß oder der italienische Wein, denn es war das Jahr des großen Weinskandals, und im Produktionsbüro hing eine täglich länger werdende Liste mit den Namen der mit Methanol versetzten Weine, die man auf keinen Fall mehr trinken durfte.

Es regnete immer heftiger, und der Himmel war jetzt tiefdunkelgrau mit einem bösen Violett. Einer der Mitarbeiter des Szenenbildners, der nicht mit zum Jungfrauenjagen gefahren war, kam an den Tisch und fragte den Regisseur, ob man morgen bei dem Dreh an der Brücke «verbrannte Erde» machen dürfe. Verbrannte Erde hieß soviel wie die Gegend nachhaltig versauen. Manchmal räumten wir hinterher auf, manchmal machten wir verbrannte Erde und ließen tiefe Reifenspuren in den Wiesen zurück oder bauten eine Scheune, die einer unserer Lastwagen zusammengefahren hatte, einfach nicht mehr auf. Ich dachte dann an «Apocalypse Now», und daran, wie wenig die Kunst noch Kunst ist, wenn man nah dran ist.

Der Regisseur sagte, daß ab sofort überhaupt nicht mehr verbrannte Erde gemacht würde. Er habe hier Freunde gewonnen und wolle noch mal an den Ort zurückkommen und mit erhobenem Kopf durchs Dorf gehen können.

Alessandro Marinelli kam rein auf einen Espresso und einen Sambuca. Er setzte sich zu uns an den Tisch und erzählte, daß immer noch Dorfleute zu ihm kämen und darum bitten würden, auch in dem Film mitspielen zu dürfen. Was machst du dann? fragte ich ihn. Er grinste mit seinem zahnlosen Mund. Wenn es Männer sind, sagte er, schick ich sie weg. Wenn es Frauen sind, messe ich die Oberweite und sage dann: das ist für diesen Film zuwenig, komm nächstes Jahr wieder, da drehen wir in Spanien, dann können wir dich brauchen! Wir lachten, und ich bestellte mir noch einen Apfelkuchen. Als die kartenspielenden Italiener am Nebentisch das sahen, bekamen sie auch Appetit und orderten gleich die ganze Apfeltorte. Der Produktionsleiter, der hinten in einer Ecke über Zahlenkolonnen brütete und das Drehverhältnis ausrechnete, rief mir zu: Sag ihnen, sie sollen nicht soviel fressen, sonst werden sie zu fett und die Anschlüsse stimmen nicht mehr!

Der Produktionsleiter sprach kein Italienisch, obwohl er versprochen hatte, es vor Drehbeginn zu lernen. Er war auch tatsächlich zu einem Sprachinstitut gegangen, hatte 500 Mark Vorkasse bezahlt und dafür vom Kursleiter zwei Kassetten bekommen, die sollte er sich zu Hause in Ruhe anhören, und dann würde das schon klappen. Nichts klappte, und ich mußte dauernd für ihn übersetzen, Regine, sag ihm, er muß sich den Bart färben lassen, auf dem Photo von der Agentur war der Bart schwarz, jetzt ist er grau, das sieht zu alt aus, Regine, was heißt leck mich am Arsch? Regine, bestell mir mal ein Omelett mit Pilzen, aber frische Pilze, nicht aus der Dose. Regine hier, Regine da, ich wurde den ganzen Tag rumgescheucht und wäre dabei so gern mal mit dem Regisseur allein gewesen, aber dazu hätte ich ein richtiges Problem haben müssen. Für Probleme hatte er immer Zeit, ich war einfach zu patent und fiel nicht unter seine besondere Aufmersamkeit.

Alessandro Marinelli hatte den *Corriere della Provincia* mitgebracht, in dem eine Geschichte über unsere Dreharbeiten stand. Ausgerechnet über die Sache mit dem Schnee hatten sie geschrieben, eine Geschichte, die mehr mit ihrer absurden Provinz als mit unseren absurden Dreharbeiten zu tun hatte. Es gab in dieser ungewöhnlich kalten Jahreszeit auf höherliegenden Hängen und Hausdächern immer noch Reste von Schnee, die man bei den Totalen leuchten sah. Daher mußte in den ersten Tagen der Dreharbeiten die örtliche Feuerwehr anrücken und die Dächer freispritzen. Mit einem 150 Meter langen Schlauch waren sie angefahren gekommen, hatten bombastisch aufgedreht, und heraus kam nichts als ein kleines Rinnsal, weil der Druck nicht stimmte. Auf dem Dorfplatz gibt es zwar zu diesem Zweck einen Hydranten, nur war das ein Schweizer Modell, und der Schlüssel dazu stammte aus Italien und paßte nicht. Natürlich, sagten die Kenner, italienische Stecker passen ja auch nicht in Schweizer Steckdosen, viva Europa! Der Mann, der den richtigen Schlüssel verwaltete, war zum Einkaufen gefahren, und es dauerte anderthalb Stunden, bis wir ihn aufgestöbert und hergekarrt hatten. Der Bürgermeister des Ortes tobte: Und wenn es nun gebrannt hätte, Gusto? Reg dich nicht auf, Nino, sagte Gusto, es hat ja nicht gebrannt, es war ja nur Schnee, und auch nur für den Film! Das alles stand im *Corriere della Provincia*, und ein Photo war auch dabei – die Feuerwehr mit den Schläuchen, aus denen nun tüchtig Wasser spritzte. Der Regisseur sah sich das Bild fast wehmütig an und sagte: Da hat es wenigstens noch nicht dauernd geregnet, und Krisela bellte: Sie hätten ruhig mal ein Bild von den Dreharbeiten bringen können, diese Provinzheinis.

In diesem Moment kam Agnes herein. Sie strahlte und wirbelte und stürmte auf den Regisseur zu, den sie umarmte und küßte, und hinter ihr schlich Irmin mit zwei Koffern und verdrehte die Augen zur Zimmerdecke. Madonna! murmelte Alessandro Marinelli und glättete seine Haare mit Spucke.

Die Männer hörten mit dem Kartenspielen und die Frauen mit dem Stricken auf, und der Regen trommelte laut an die Scheiben. Da bin ich, rief Agnes, jetzt kann's losgehen! Das Gesicht von Krisela erstarrte zum Holzschnitt, und der Regisseur war aufgestanden und hatte Agnes einmal hochgehoben, im Kreis gedreht und vorsichtig wieder abgesetzt.

Wie fühlst du dich? fragte er, und sie lachte: Großartig!

Nachtdreh, sagte er, gleich heute, du kommst leider sehr spät.

Sie ließ sich auf einen Stuhl fallen, winkte mit der Hand einmal rundum allen zu und strich sich das Haar aus der Stirn.

Zuviel Arbeit, seufzte sie theatralisch, ich konnte einfach nicht früher weg, ihr Lieben.

Au weia, sagte Marja, wenn eine am Anfang so drauf ist, das geht nicht gut, was meinst du?

Ich wußte noch nicht, was ich meinte. Ich sah nur, wie Krisela fest die Lippen zusammenpreßte und spürte, daß sie jetzt nicht mehr die Nummer eins war, und Regieassistentinnen werden total hysterisch und flippen aus, wenn sie nicht Nummer eins im Herzen des Regisseurs sind, und dem Regisseur war ein feiner Schweißfilm auf die Stirn getreten. Irmin hatte die Koffer abgestellt und fragte Agnes:

Willst du was essen, soll ich dir was bestellen?

Sie wollte aber zuerst in ihr Zimmer, ein heißes Bad nehmen, und wo sei denn die Dispo?

Der Regisseur erklärte ihr, wann sie abgeholt würde und daß das heute abend nur ein kleiner Dreh sei, Ankunft vor dem Haus, ihre große Szene käme morgen dran.

Agnes schaute sich um, warf mir einen uninteressierten Blick zu und bohrte ihre grünen Augen in Marja.

Kostüm? fragte sie, und Marja nickte, stand auf und ging zu ihr. Sie gaben sich die Hand und Marja sagte:

Das besprechen wir nachher in der Maske, ich hab alles passend da.

Agnes nickte, stand wieder auf, und Irmin schnappte sich die Koffer. Alessandro Marinelli floß ein bißchen Spucke aus dem Mund, und der schöne Felice, der den arroganten Großgrundbesitzer spielte und aus Siena stammte, kniff die Augen zusammen und musterte Agnes so, daß es ihr auffiel und sie sich irritiert abwandte. Felice hatte schwarzes Haar und blaue Augen, er war ein Bilderbuchitaliener, ein netter Kerl und wirklich ein guter Schauspieler. Er flirtete ein bißchen mit Isolde, unserer Maskenbildnerin, aber sie blieb standhaft und wollte keine italienische Affäre, obwohl bei dem vielen Regen und dem ewigen engen Zusammensitzen die Verhältnisse allmählich aufweichten. Irmin tröstete sich über seine häuslichen Schwierigkeiten bereits mit Simonetta, die unsere Dolmetscherin war, Marja hatte meiner Meinung nach höchst heimlich etwas mit dem zweiten Beleuchter angefangen, und Krisela überredete den Regisseur immer öfter zu nächtlichen Diskussionen – ich weiß nicht, ob die in seinem oder ihrem Bett endeten, aber ich glaube es eigentlich nicht, denn sie war einfach zu häßlich und er galt als glücklich verheiratet, was immer das bei diesen Berufen bedeuten mag.

Agnes schwirrte ab, nach oben in ihr Zimmer, und wir blieben unten in dem muffigen Restaurant zurück. So, rief der Regisseur, da wäre sie, jetzt laßt uns das um Gottes willen gut durchziehen. Da Simonetta sofort nach Agnes' Abgang mit Rosanna zu tuscheln angefangen hatte, sagte er es auch noch mal auf italienisch. Jemand schaltete das Neonlicht an der Decke ein, und wir sahen alle aus wie alter ungesunder Käse. Felice stand am Fenster, rauchte und sah hinaus in den Regen.

Die Szene am Abend war relativ schnell im Kasten. Es goß in Strömen, wir drehten trotzdem draußen. Agnes mußte mit dem Auto vor ihrer Villa vorfahren, aussteigen und, ein Tuch über dem Kopf, zur Haustür hasten und aufschließen. Kurze Zeit später flammten überall im Haus die Lichter auf, sie kam noch einmal heraus und holte ihre Koffer. Wir machten das viermal, dann waren wir fertig und fuhren zurück ins Hotel.

Der Regisseur setzte sich mit Krisela und Agnes in eine Ecke, um die Szene für den nächsten Tag zu besprechen.

Wo ist Felice? fragte der Regisseur, und ich lief, um ihn zu holen. Ich fand ihn im Hof. Es hatte endlich aufgehört zu regnen, der Himmel war fast klar geworden, und Felice rauchte und starrte die Sterne an.

Sie suchen dich, sagte ich, aber er winkte ab. Erzähl mir, was du über Agnes weißt, sagte er. Ich erzählte ihm, was man so las und redete – daß sie ihre beste Zeit wohl hinter sich hatte, daß sie einen Selbstmordversuch gemacht haben sollte und seitdem noch schwieriger war als früher, daß in einer deutschen Boulevardzeitung neulich die Überschrift gestanden hatte: AGNES ANSELM BEI DREHARBEITEN ZUSAMMENGEBROCHEN, Untertitel: Schauspielerin fragte weinend nach dem Sinn des Lebens.

Felice sah mich verblüfft an, zog die Augenbrauen hoch und lachte ein wenig. Oha, sagte er und zog an seiner Zigarette. Am nächsten Tag war die Szene mit dem Hund dran. Agnes spielte in unserm Film eine Deutsche, die oberhalb des Dorfes ein Haus hat. Als sie dort mal wieder einige Zeit verbringt, sieht sie eines Tages, wie der Großgrundbesitzer einen Hund in die Schlucht zwischen Corrido und Carlazzo wirft. Sie stellt ihn heftig zur Rede, es gibt eine scharfe Auseinandersetzung, und ein paar Tage später wird Agnes mitten im Dorf erschossen. Ihre Leiche verschwindet – wahrscheinlich auch in der Schlucht –, und die Ermittlungen werden mehr als lasch geführt. Soweit das Drehbuch.

Alles, was vorher passierte und auch, wie sich das Dorf nach dem Mord hermetisch wieder zusammenschloß, hatten wir schon gedreht, es fehlten lediglich die Szenen mit Agnes; ihre Ankunft eben, die Szene mit dem Hund, eine Szene in ihrem Haus, wie sie herumtobt und telefoniert, ein resoluter Gang zum Bürgermeister, der Schuß, Tod, aus.

Den Hund hatten wir schon Tage vorher besorgt. Giancarlo, auf dessen Hof teilweise gedreht wurde, hatte angeboten, einen seiner Hunde zu diesem Zweck zu erschießen, er hatte eine Meute unglücklicher Jagdhunde, die in einem engen Zwinger auf Beton herumlungerten und darauf warteten, daß er vier-, fünfmal im Jahr mit ihnen zur Jagd in die Berge ging. Immer wieder starben welche oder wurden aggressiv und bissen Giancarlos Frau, dann wurden sie sowieso erschossen und anschließend in die Schlucht geworfen. Die Schlucht war schmal, sehr tief, mehr als achtzig Meter, schätzten wir, und wurde von einer kleinen Brücke überspannt, die die Orte Corrido und Carlazzo hoch oben am Berg verband. Alles, was man nicht brauchte, landete in dieser Schlucht – alte Autoreifen, Kühlschränke, Matratzen, tote Tiere, manchmal auch eine zugebundene Plastiktüte mit lebenden Katzen, und von Giuseppina, die vor Jahren verschwunden und nie wieder aufgetaucht war, munkelte man auch, sie läge gewiß dort unten in der Schlucht. Wir fuhren alle immer etwas schneller über diese unheimliche, knarrende Brücke, die an den Seiten ein paar kaffeetassengroße Löcher hatte, durch die das Regenwasser abfließen und durch die man in die Tiefe sehen konnte. Heute nun mußte ausgerechnet auf dieser Brücke die Szene mit Agnes, Felice und dem Hund gedreht werden. Der Regisseur hatte es Giancarlo ausgeredet, einen seiner Hunde für den Film zu erschießen. Statt dessen hatte der Requisiteur im veterinärmedizinischen

Institut der nächsten Stadt nachgefragt und einen Schäferhund bekommen, der gerade hatte eingeschläfert werden müssen. Ein präparierter Hund kam für uns nicht in Frage, der wäre zu steif gewesen, und es sollte aussehen, als würde das Tier noch lebend in die Schlucht geworfen. Also ließen wir den eingeschläferten Hund tiefgefrieren, legten ihn in eine Kühltruhe und schoben die in die Garage von Andrea, der auch unsere Autos wartete. Eines Tages hatte Andreas kleine Tochter den Deckel der Truhe geöffnet und den gefrorenen Hund darin gesehen, sie hatte geschrien und sich stundenlang nicht beruhigen können. Zum Drehen mußte der Hund leicht angetaut werden, damit er sich ein bißchen bewegte, wenn er in die Schlucht runterflog, aber nicht zu sehr, damit er nicht stank. Als Agnes nun da war, begann der Requisiteur in der Nacht auf Andreas Hof mit dem Auftauvorgang und erschien am Drehort rechtzeitig mit dem steifgefrorenen Kadaver, an dem die Beine sich schon wieder leicht bewegen ließen. Keiner mochte in die Nähe gehen, und die Bühnenarbeiter spannten unter das Brückengeländer ein Netz, mit dem der Hund aufgefangen werden konnte, weil man ja die Szene gewiß mehrmals drehen mußte.

Felice erschien am Drehort mit einem Pritschenwagen, auf dem der Hund später mit zusammengebundenem Maul liegen sollte, und Felice hatte ein sauber gebügeltes Hemd und blitzsaubere Arbeitshosen an. Der Regisseur fluchte, und Marja mußte mit roter Farbe Blutflecken auf Hemd und Hose malen und alles ein bißchen naß machen und zerknittern. Agnes kam in einem geblümten Seidenkleid mit Strohhut und sah wunderbar, aber nervös aus. Sie hatte Angst, die Brücke zu betreten und traute sich nicht in die Nähe des Geländers, von wo aus man in die dunkle, grüngraue Tiefe blickte. Sie gab Felice zurückhaltend die Hand und wartete mit zusammengepreßten Lippen, bis es losging. Während er auf der Brücke hielt, den Hund hinten runternahm und ihn in die Schlucht warf, sollte sie mit ihrem Auto auf die Brücke fahren, bremsen und Felice zur Rede stellen. Irmin sperrte die Straße ab, damit uns keine anderen Autos durch die Szene fahren konnten, und dann ging es los. Es war nach Wochen der erste Tag, an dem die Sonne schien, und sie schien kräftig, schon am frühen Mittag. Wir probten zuerst mit Felice, den Hund so zu werfen, daß er im Netz landete und wieder hochgezogen werden konnte. Der Hund fing an, streng zu riechen, und keiner mochte ihn mehr anfassen. Es war ein großer, schöner Hund mit gepflegtem Fell, aber durch das Einfrieren und Auftauen sah er struppig und etwas unförmig aus, und wir grausten uns alle vor ihm. Felice wollte Handschuhe haben, um ihn nicht anfassen zu müssen, aber der Regisseur sagte, daß italienische Bauern keine Handschuhe tragen würden, und bald wäre ja alles vorbei. Ich dachte an andere Regisseure, die in einem solchen Fall gesagt hätten: Sonst noch was! oder: Du bist Schauspieler und machst das gefälligst und basta. Aber so konnte er nicht sein, er ließ über alles mit sich diskutieren.

Jetzt waren wir soweit, daß Agnes kommen konnte. Felice stoppte, lud den Hund ab, Krisela gab Agnes ein Zeichen, sie fuhr los, bremste neben Felice, stieg aus. Die ersten beiden Male standen die Autos für Herrn Torstens Kamera nicht richtig nebeneinander. Beim drittenmal war Agnes nicht rechtzeitig losgefahren, und der Hund lag schon im Netz, als sie endlich kam. Dann machte Felice einen Fehler, und der Hund fiel ihm vom Auto, so daß jeder sah, daß er schon tot war. Dann kam ein Bus mit Schulkindern und mußte durchgelassen werden. Wir wurden alle nervös, Agnes schwitzte und die Maskenbildnerin puderte ihr wieder und wieder Stirn, Hals und Nase. Dann hatte technisch alles geklappt, aber Agnes stand vor Felice und starrte ihn nur aus weitaufgerissenen Augen an, ohne etwas zu sagen, sie hatte ihren Text vergessen oder er war ihr im Hals steckengeblieben. Felice fluchte, wischte sich den Schweiß ab und verlangte eine Pause. Der Requisiteur packte den Hund in eine große Kühltasche mit Eis, Felice legte sich in die Wiese, Herr Torsten rauchte und lehnte sich dabei weit übers Geländer. Irgendwie hätten wir alle Lust gehabt, ihm einen kleinen Schubs zu geben. Der Regisseur flüsterte mit Agnes, die in Tränen ausgebrochen war, und Krisela wandte sich ab und schniefte eine Portion. Ich wollte mein Frühstückshörnchen aufessen, aber ich kriegte keinen Bissen runter, und inzwischen dampfte es aus der Schlucht hoch, als hätte sich die Hölle aufgetan. Nach den wochenlangen Regenfällen erwärmte sich die nasse Erde und schickte das viele Wasser, das sie hatte schlucken müssen, in die Luft zurück. Es sah gespenstisch aus und war schwül und schwer zu atmen.

Felice kaute an einem Grashalm und sah aus schmal zusammengekniffenen Augen zu Agnes hinüber. In seinem Blick waren Haß und Leidenschaft, er verachtete sie und wollte sie haben, und sie, die Männererfahrene, an der Schwelle zum ‹nicht mehr jung und nicht mehr schön sein›, beruflich bereits an zweitklassigen Theatern und in drittklassigen Fernsehserien gelandet, sie spürte all das und wehrte sich und verzweifelte zwischen Angst und Bosheit. Am liebsten wäre ich zum Regisseur gelaufen und hätte gesagt, hör mal, ändere um Himmels willen diese Szene, laß sie nur vorbeifahren und sehen, wie er den Hund in die Schlucht wirft, aber laß sie nicht aussteigen, nicht zu ihm gehen, das geht nicht gut. Aber ich tat es nicht, weil ich nur das Scriptgirl war, weil ich mich nicht wichtig machen wollte, weil ich mich nicht in die Nähe von Agnes traute, ach, warum tut man etwas nicht, von dem man spürt, es wäre das Richtige – vielleicht, weil der Augenblick, in dem man es spürt, zu kurz ist. Herr Torsten drehte sich um und sang «Leavin' Memphis with a guitar in his hand and a one-way-ticket to the promised land...», und als alle ihn entsetzt ansahen, weil er jetzt singen konnte, hörte er auf damit, pfiff und ging hinter seine Kamera zurück. Marja glättete Felices Garderobe, und der Regisseur rief: Laß das, Marja, jetzt ist es endlich gut so! Agnes setzte ihren Strohhut auf und ging zu ihrem Auto zurück. Irmin sperrte die Straße, das Ganze ging von vorn los. Felice fuhr an die Stelle, die auf der Brücke mit Lassoband gekennzeichnet war, stoppte, nahm den Hund und warf ihn in die Tiefe, beziehungsweise natürlich ins Netz. Agnes fuhr los, stoppte, stieg aus und lief auf Felice zu. In ihrem Gesicht war soviel Haß und Angst und Wut, sie schlug Felice mit den Fäusten auf die Brust, was nicht im Drehbuch stand, und er starrte sie an mit seinen blauen Augen und packte sie plötzlich unter den Armen, hob sie hoch und hielt sie weit übers Geländer – sie hing über der Schlucht, einen Moment, eine Ewigkeit, ich weiß es nicht, ich schloß die Augen. Es war totenstill bis auf das Grollen des Wassers von tief da unten – kein Schrei, niemand lief hin, Felice stand einfach da und hielt Agnes übers Geländer, und als ich wieder hinschaute, sahen sie sich an. Beiden lief der Schweiß übers Gesicht, Agnes war unter ihrer Schminke leichenblaß geworden, und er zitterte am ganzen Körper. Ich hatte Todesangst, daß er sie nicht mehr würde halten können. Im Zeitlupentempo bewegte sich jetzt der Regisseur auf die beiden zu, streckte den Arm aus, kein Ton kam über seine Lippen, Herr Torsten stand neben seiner noch laufenden Kamera und rührte sich nicht. Marja hatte beide Hände vor den Mund geschlagen und die Augen weit aufgerissen, und dann endlich, unendlich langsam, schwenkte Felice mit Agnes in den Händen zurück über das Brückengeländer und setzte sie sanft und ganz vorsichtig auf der Brücke ab. Er atmete schwer, ließ die Arme hängen, und Agnes stand da und lehnte ihren Kopf an seine Brust. Der Regisseur blieb stehen, und wir wußten alle nicht, was jetzt geschehen würde – Tränen, Geschrei, Zusammenbrüche, eine Schlägerei, es war alles möglich, doch statt dessen ging Agnes zu ihrem Auto, ohne ein Wort zu sprechen, fuhr zurück an den Ausgangspunkt und wartete mit laufendem Motor. Felice zog den Hund aus dem Netz, warf ihn hinten auf den Pritschenwagen und fuhr ebenfalls an seinen Ausgangspunkt, auf der anderen Seite der Brücke. Der Regisseur stand ratlos da, gab dann dem Kameramann ein Zeichen, und gespenstisch begann die Szene noch einmal von vorn. Felice fuhr vor, bremste, stieg aus und nahm den Hund. Von der anderen Seite kam Agnes, hielt scharf neben ihm, stieg aus, rannte auf ihn zu, und Felice schleuderte mit einem riesigen Schwung den widerlichen Hundekadaver, halb gefroren, halb aufgetaut, weit über das Tal, wie ein großer Vogel flog er ein Stück und fiel dann senkrecht herunter, während Agnes schrie und tobte und auf Felice einschlug und kreischte und brüllte und weinte und ihm das Hemd in Fetzen riß. Felice schleuderte sie von sich weg, zündete sich eine Zigarette an, stieg ein und fuhr davon. Agnes blieb auf der Brücke liegen.

Die Szene war großartig, und sie war im Kasten, und niemand sagte ein Wort. Der kleine Bus fuhr die Schauspieler ins Hotel zurück, die Crew baute Netz, Kabel, Lampen und Straßensperrung ab. Ich saß mit Irmin, Krisela und dem Regisseur im Auto, niemand sprach. Irmin fuhr wie auf Glatteis, vorsichtig, als hätte er eben erst einen schweren Unfall überlebt. Im Restaurant saßen die, die an diesem Tag drehfrei hatten, spielten Karten und wollten uns entgegenjohlen, aber sie schluckten es herunter, denn wir müssen eigenartige Gesichter gemacht haben. Jeder ging sofort auf sein Zimmer, und ich glaube nicht, daß jemand in dieser Nacht gut schlief. Unten wurde noch lange geredet und getrunken, die Bühnenarbeiter und Requisiteure schmückten die Geschichte wohl in immer neuen Varianten aus, und gegen drei Uhr früh hörte ich den Szenenbildner mit seinen Mitarbeitern durch den Flur torkeln, und er rezitierte laut und betrunken Shakespeare: Was ist das Leben? Eine Mär, erzählt von einem Idioten, ohne Sinn und nichts bedeutend. Jawoll. Am nächsten Tag war Felice abgefahren, seine Drehzeit war zu Ende, er verabschiedete sich von niemandem. Wir drehten in einer seltsam dumpfen, aber hochkonzentrierten Stimmung unsern Film fertig. Agnes war still, präzise, gar nicht zickig, sie sprach kaum und verschwand nach den Dreharbeiten sofort auf ihrem Zimmer. Der Regisseur fing in den letzten Tagen noch das Saufen an, und eines Abends saßen wir beide ganz allein in dem fast dunklen Restaurant, sogar Krisela war schon zu Bett gegangen. Wir drehten uns jeder einen Joint und rauchten schweigend, bis er plötzlich sagte: Weißt du, was ich mal irgendwo gelesen habe? Es war im Zusammenhang mit Haschisch rauchen, daß man es nicht vor Kriegen tun soll, weil es sanft macht. Da habe ich gelesen: Der Dolch trifft dann nicht, da das Herz zu Zärtlichkeiten neigt. An den Satz muß ich immer denken.

Ich zog an meinem Joint und dachte an Felice, der mit einer so wilden Liebe Agnes über den Abgrund gehalten hatte. Gar nichts hätte passieren können, und gar nichts war passiert. Und unten verweste unser gefrorener Hund.

Erika

Ich hatte das ganze Jahr hindurch gearbeitet wie eine Verrückte und fühlte mich kurz vor Weihnachten völlig leer, ausgebrannt und zerschlagen. Es war ein schreckliches Jahr gewesen, obwohl ich sehr viel Geld verdient hatte. Es war, als hätte ich zu leben vergessen. Ich hatte meine Freunde kaum gesehen und war nicht in Urlaub gefahren, meine Mahlzeiten hatte ich irgendwo zwischen Tür und Angel im Stehen eingenommen – Gyros und Krautsalat, ein Stück Pizza, ein paar Tortillas und dazu zwei, drei Margaritas –, oder ich hatte zu Hause ein paar Rühreier aus der Pfanne gegessen, vor dem Fernseher, und an vielen Tagen hatte ich auch gar nichts gegessen und nur Wein, Kaffee und Gin getrunken und war wie ein Stück Blei ins Bett gefallen, ohne die Post zu öffnen oder den Anrufbeantworter abzuhören, traumlos, leblos. Ich hätte gar nicht soviel arbeiten müssen, aber ich stürzte mich in jede neue Aufgabe, um nur ja nicht nachdenken zu müssen über Vaters Tod, über meine Scheidung, über die Krankheit, die sich in mir festfraß und mir unmißverständliche Signale gab, daß ich dieses Tempo nicht mehr lange würde durchhalten können. Ein paar Tage vor Weihnachten – ich war gerade nach Hause gekommen und hatte mich vor Erschöpfung nach einem Sechzehn-Stunden-Tag einfach in Mantel und Stiefeln der Länge nach auf den Teppich gelegt und nur noch ganz flach geatmet – klingelte das Telefon. Normalerweise hebe ich nie ab. Ich lasse den Apparat laufen und höre mit, wer anruft, und meist schüttelt es mich dann vor Entsetzen, wem ich da beinahe durch einen Griff zum Hörer in die Falle gegangen wäre. Aber an diesem Abend nahm ich sofort ab, ohne nachzudenken, es war ein Reflex. Das Telefon stand neben mir auf dem Fußboden, und beim ersten Ton griff ich danach wie nach einem allerletzten Lebenszeichen von da draußen. «Ja!» sagte ich, und ich hätte auch genauso tonlos «Hilfe!» sagen können.

Es war Franz, und er rief mich aus Lugano an. Franz und ich hatten vor Jahren mal eine Weile zusammengelebt, uns dann aber einigermaßen friedlich getrennt und beide geheiratet. Inzwischen waren wir auch beide wieder geschieden, und er lebte in Lugano und ich in Berlin. Die Stadt saugt den letzten Tropfen Lebensblut aus mir, hält mich fest und läßt mich nicht atmen und nicht gehen und zersetzt mich mit ihrer Aggressivität wie Rost ein altersschwaches Auto. Berlin lockt mich an jeder Ecke zum Saufen, zum Morden, zum Selbstmord.

Franz arbeitete in Lugano bei einem Architekten, und ab und zu schrieben wir uns alberne Karten. Manchmal traf ich seine Mutter, die so gern gesehen hätte, daß wir zusammengeblieben wären und die in Berlin langsam vermoderte, wie so viele alte Leute. Sie erzählte mir dann ein bißchen von ihm, aber Mütter wissen ja nichts von ihren Kindern, und ich erfuhr nur, daß es Franz gutgehe, und er verdiene viel, sie sei allerdings noch nie in Lugano gewesen.

«Hallo, Betty», sagte Franz am Telefon. Er ist der einzige, der mich Betty nennt. Ich heiße Elisabeth, aber das sagt nur meine Mutter zu mir. Mein Vater nannte mich Lisa, in der Schule hieß ich Elli, und mein Mann hatte Lili zu mir gesagt.

Manchmal weiß ich selbst nicht mehr, wie ich eigentlich heiße und nenne mich bei meinem zweiten Namen: Veronika. Nur für Franz war ich Betty gewesen, und ich holte tief Luft, streifte mir die Stiefel von den Füßen und sagte: «Ach, Franz.»

«Hört sich nicht gut an, ach, Franz», sagte er. «Ist was los?»

«Ich glaube, ich bin tot», sagte ich. «Kneif mich mal.»

«Dazu müßtest du etwas näher kommen», sagte Franz, «und das ist es, weshalb ich anrufe.»

Ich machte die Augen zu und dachte an die komische Dachwohnung, in der wir zusammen gewohnt hatten. Franz hatte Bühnenbilder in verkleinertem Maßstab gebaut, und im Szenenbild von «Don Giovanni» hatten unsere beiden Hamster Kain und Abel gewohnt. Sie waren auf den kleinen Balkönchen erschienen und hatten sich geputzt, und vom Tonband spielten wir dazu Donna Annas Arie aus dem Ende des zweiten Aktes, «or sai chi l'onore rapire a me volse», und zu der Zeit haben wir furchtbar viel getrunken. Wir arbeiteten auch – er an seinen Bühnenbildern, ich für meine Zeitung, aber wir tranken Gin und Weißwein und Tequila in solchen Mengen, daß ich heute nicht mehr weiß, wie wir überhaupt morgens aus dem Bett kamen, wer all die leeren Flaschen wegbrachte und wann wir eigentlich die Katze versorgten. Einer der beiden Hamster wurde später in dem dicken Lesesessel totgedrückt – er war zwischen Sitzpolster und Lehne gekrochen –, und wir fanden ihn erst, als er zu riechen begann und brauchten – es war bei einem Frühstück – an dem Tag den ersten Gin schon morgens, obwohl im Grunde so eine letzte Regel galt: Wein ab 16 Uhr, Gin ab 20 Uhr und Tequila erst nach zehn. Was soll's, lange her.

«Warum kommst du nicht über Weihnachten zu mir nach Lugano?» fragte Franz.

«Warum sollte ich», sagte ich und freute mich irrsinnig,

aber ich ließ meine Stimme ganz unten. «Kannst du ohne mich auf einmal nicht mehr leben?»

«Ich kann wunderbar leben ohne dich», sagte Franz, «und was glaubst du, wie ich das genießen werde, wenn du nach Neujahr wieder abfährst.»

Ich war noch nie in Lugano gewesen. «Wie ist Lugano», fragte ich, «gräßlich?»

«Grauenhaft», sagte Franz. «Alte Häuser mit Palmen davor und mit Glyzinien bewachsen, die so ekelhaft lila blühen, überall Oleander mit diesem scheußlichen Duft und ein gräßlicher See inmitten scheußlicher Berge. Und sie trinken hier diesen widerwärtigen Fendant, bei dem man schon nach vier Flaschen betrunken ist. Überleg's dir.» – «Versprichst du mir, daß wir uns die ganze Zeit streiten?» fragte ich, und Franz sagte: «Ehrenwort. Und du darfst auch keinem Menschen erzählen, daß du zu mir fährst, ich könnte dich dann unauffällig erwürgen und in den See schmeißen, gut, was?»

«Fabelhaft», sagte ich, «aber du vergißt, daß ich schon tot bin. Ich glaube nicht, daß ich es noch bis Lugano schaffe, ich schaff's ja nicht mal mehr bis in die Küche, Franz.»

«Du fliegst», sagte Franz, «bis Mailand, und dann fährst du eine Stunde mit dem Zug nach Lugano, und ich hol dich ab.»

«Hol mich nicht ab», sagte ich, «vielleicht hab ich ja Glück und das Flugzeug fällt runter, und dann wartest du umsonst.»

«Gute Idee», sagte Franz, «ich könnte auch bei Chiasso einen Baumstamm quer über die Schienen legen, dann würde dein Zug entgleisen, was hältst du davon?»

«Großartig», sagte ich und fing plötzlich an zu weinen, und Franz fragte trocken: «Freitod als willkommene Unterbrechung der Langeweile?» – «Nein», sagte ich, «der Erschöpfung, ich möchte vor Erschöpfung aus dem Fenster fallen.»

Ich dachte an unsere Katze, die eines Tages vom Dach gefallen war, einfach so, und wir hatten gedacht, das würde nie passieren. Sie war gewöhnt daran, über die Dächer zu gehen, und von unserm kleinen Balkon aus sah ich sie oft in der Sonne sitzen und sich putzen, hoch neben dem Schornstein, vor der Fernsehantenne, auf der die dicken Tauben gurrten. Eines Tages war sie gerutscht, ins Strudeln gekommen, hatte sich vor Verwirrung nicht mehr halten können und an allen Vorsprüngen und Balkons vorbei einen geraden Sturz in die Tiefe gemacht, fünf Stockwerke, und ich sah sie bewegungslos unten liegen und war unfähig, ihr nachzulaufen.

Schließlich war Franz die Treppen runtergerannt und lange nicht wiedergekommen. Wir haben nie mehr über die Katze gesprochen, und in dem Jahr lebten wir uns auseinander, wie man wohl so sagt. Wir konnten einfach über nichts mehr ernsthaft reden, wir waren zynisch und ironisch und unehrlich miteinander, und wir litten beide darunter, aber ändern ließ es sich auch nicht mehr.

«Du wirst mich gar nicht mehr erkennen, wenn ich komme», sagte ich. «Ich bin ganz alt geworden und schlohweiß und potthäßlich.» Ich zog die Nase tüchtig hoch, stand auf und warf mich in einen Sessel, um Haltung anzunehmen. «Du warst immer schon potthäßlich», antwortete Franz, «ich wollte es dir nur nie sagen. Ich bin übrigens strahlend schön wie immer.»

«Gut», sagte ich, «das seh ich mir an, ich komm Heiligabend, falls da was fliegt.» Ich hatte das Gefühl, er freute sich wirklich und ich wäre irgendwie gerettet.

Ich schloß die Augen und blieb vielleicht noch eine halbe oder eine volle Stunde im Sessel liegen. Ich hörte die Geräusche im Haus, zuklappende Türen, eine Männerstimme, schnelle Schritte, und von der Straße klang Berlins böses

Brummen hoch, ein brodelnder Dauerton wie kurz vor der Explosion eines Kessels, und ich stellte mir Lugano vor wie eine kleine Oase mit roten Dächern in einer Schneekugel.

Am 24. warf ich am frühen Morgen ein paar Pullover und Jeans, meine Brille, meinen Muff, ein bißchen Wäsche, Waschzeug, meine Ballerinas, ein paar feste Schuhe, das alte schwarze Seidenkleid mit dem verblaßten Rosenmuster, ein paar Bücher und meinen Reisewecker in eine Tasche und ging noch mal kurz ins KaDeWe, um elsässischen Senf für Franz zu kaufen. Es gibt dort eine Abteilung mit achtzig oder hundert verschiedenen Sorten Senf, in Gläsern und Tuben und Tontöpfen, scharf und süß und süßsauer, cremig und körnig, hellgelb bis dunkelbraun, und die ganze Perversität des Westens, die ganze unerträgliche Angeberei dieser aufgeblähten, maroden, verlogenen Stadt Berlin fließt für mich zusammen in der Unglaublichkeit dieser Senfabteilung – die Welt steht in Flammen, es ist Krieg, Menschen verhungern und schlachten sich ab, Millionen sind auf der Flucht und haben kein Zuhause, Kinder sterben auf den Straßen, und Berlin wählt unter hundert Sorten Senf, denn nichts ist schlimmer als der falsche Senf auf dem gepflegten Abendbrottisch. Aber ich hätte auch das noch geschafft, ich wäre mit dem Fahrstuhl hochgefahren und hätte für Franz, den Zyniker, Franz, den trostlosen Intellektuellen, Franz, den Spötter mit den tiefen Falten rechts und links der Nase, ich hätte für Franz, mit dem ich so verzweifelte Nächte und so verlogene Tage verbracht habe, den grobkörnigen, dunkelgelben, süßscharfen elsässischen Senf im Tontopf mit Korkverschluß gekauft, wenn ich nicht im Parterre das Schwein gesehen hätte. Erika.

Es sah aus wie ein Mensch, und ich weiß nicht, wieso ich auf «Erika» kam, aber es war wirklich mein erster Gedanke. Das Schwein sah aus wie eine Person, die Erika hieß und aussah wie ein Schwein. Erika war fast lebensgroß, fast so groß wie ein ausgewachsenes Schwein. Sie war aus hellrosa Plüschfell, hatte vier stramme, dunkelrosa Beine, einen dicken Kopf mit leicht geöffneter Schweineschnauze, weichen Ohren und etwa markstückgroßen himmelblauen Glasaugen mit einem unbeschreiblichen Ausdruck – vertrauensvoll, gutmütig, neugierig und mit einer Art gelassener Pfiffigkeit, die zu sagen schienen: was soll all die Aufregung, nimm es, wie es kommt, sieh mich an, ich bin nur ein rosa Plüschschwein mitten im KaDeWe, aber ich bin ganz sicher, daß das Leben einen wenn auch verborgenen Sinn hat.

Ich zahlte ohne zu zögern 678,– per Kreditkarte für Erika. Meine Reisetasche mußte ich mir über die Schulter hängen, für Erika brauchte ich beide Hände. Sie war erstaunlich leicht, aber enorm dick und samtweich, und sie ließ sich nur tragen, indem ich sie vor meinen Bauch preßte. Ich umschlang sie mit beiden Armen. Sie legte die Vorderpfoten auf meine Schultern und die Hinterbeine rechts und links auf meine Hüften. Ihr Kopf blickte mit den blauen Augen über meine linke Schulter, und die Verkäuferin sagte: «Noch einmal streicheln!» Sie fuhr mit der Hand zwischen die aprikosenfarbenen Ohren, sanft und zärtlich, und dann blieb sie zwischen Teddies, Giraffen und Stoffkatzen zurück, und Erika und ich verließen das Kaufhaus. Die Menschen bildeten eine Gasse und ließen uns durch. Es waren die letzten Stunden vor Ladenschluß, vor Weihnachten, und alle waren gehetzt, erschöpft, entnervt von den Vorbereitungen und voller Angst vor all den Familienkrisen, die für die nächsten Tage in der Luft lagen. Aber wer Erika ansah, mußte lächeln. Ein Penner, der im Eingang stand und sich im abgestandenen Kaufhauswind wärmte, streckte verstohlen eine Hand aus und zog Erika am Hinterbein.

Ich trat auf die Straße und sah mich nach einem Taxi um. «Mein Gott, wie schön, da wird sich das Kind aber freuen!» sagte eine alte Frau und legte ehrfürchtig eine Hand auf Erikas großen weichen Kopf, und ich dachte daran, daß das Kind, auf dessen Gabentisch dieses Schwein landen würde, Franz hieß und achtunddreißig Jahre alt war. Der Taxifahrer sagte kopfschüttelnd: «Für wattie Leute allet Jeld ausjehm» und starrte Erika mißtrauisch von der Seite an. Ich hatte sie neben ihn auf den Vordersitz geklemmt. Ihre dicken Pfoten lagen auf dem Armaturenbrett, und sie schaute mit ihren blauen Augen in den Berliner Straßenverkehr, der keine Logik und keine Rücksicht erkennen ließ, das war ein Kampf ums Erstersein. Ich saß mit meiner Reisetasche hinten und fühlte, wie mir Erikas breiter Nacken Ruhe und Sicherheit einflößte.

Wenn das Taxi an Ampeln oder im Stau halten mußte, grinsten die Fahrer aus den Nachbarautos zu uns herüber, sie lachten, sie hupten, sie winkten, sie warfen Kußhändchen. Kinder preßten ihre Hände und Nasen an beschlagene Scheiben und wußten, daß das Weihnachtsfest für sie gelaufen war, wenn nicht so ein Schwein unter dem Baum wäre. Die Sache machte nun sogar dem Taxifahrer Spaß.

«Ja, kiekt nur», knurrte er, «Schweinetransport», und er genoß das Aufsehen, das er mit seinem Beifahrer erregte. «Watt kostenn sowatt?» fragte er mich, als ich zahlte und ausstieg, und ich log: «Weiß ich nicht, hab ich zu Weihnachten gekriegt», weil ich mich schämte, ihm den Preis zu nennen.

Normalerweise wäre meine Reisetasche als Bordgepäck durchgegangen, aber ich durfte nicht beides mitnehmen – Erika und die Tasche –, also gab ich die Tasche auf. Erika paßte in keines der übervollen, schmalen Gepäckfächer, und zum erstenmal wurden wir getrennt. Die Stewardess setzte Erika auf einen freien Platz in der ersten Klasse, schnallte sie an und versicherte mir: «Da geht es ihm gut.» – «Ihr», sagte ich, «sie heißt Erika.» Die Stewardess sah mich nett und leer an und ging rasch weg, und mir fehlte Erikas weiches Fell, ihr sanfter Blick, und ich geriet fast in Panik, als zum Start der Vorhang zur ersten Klasse zugezogen wurde und ich sie nicht mehr sah. Ich schloß die Augen und dachte an meinen ersten Kinderheimaufenthalt. Nach Borkum war ich geschickt worden, meiner kranken Lungen wegen. Ich war neun Jahre alt, stand am Zugfenster und weinte, und das letzte, was ich von meiner Mutter hörte, war: «Stell dich nicht so an, die anderen Kinder heulen auch nicht.» Ja, Mutter, weil immer nur die Kinder weinen, die nicht liebgehabt werden und tief im Herzen spüren, wie sehr die Mütter aufatmen, wenn sie sie wenigstens für vier Wochen mal abschieben können. Ich weinte, weil ich mir nicht mal sicher war, ob sie bei meiner Rückkehr überhaupt noch dasein würde oder ob sie sich in der Zwischenzeit heimlich und für immer aus dem Staub machte. Mein Vater hatte mir einen Teddy mit honiggelbem Pelz und braunen Glasaugen geschenkt. Er hieß Fritz und ich preßte ihn an mein Gesicht und ließ Rotz und Tränen in sein Fell laufen, wie ich es jetzt gern mit Erika gemacht hätte, aber Erika flog erster Klasse. Mir fiel ein, daß ich mich nicht mal von meiner Mutter verabschiedet hatte, ihr auch nicht frohe Weihnachten gewünscht hatte, aber vielleicht würde sie das ja auch gar nicht merken, und außerdem konnte ich sie aus Lugano immer noch anrufen.

In Frankfurt nahm ich Erika wieder in Empfang und preßte sie fest an mich, als ich für den Flug nach Mailand durch die Auslandshalle gehen mußte. Auf den Lederbänken, den Chromstühlen, auf Koffern, auf dem Fußboden, überall saßen und lagen müde Menschen, die auf ihren Weiterflug warteten – Inder mit Turban, verschleierte Frauen, Schwarze in bunten Baumwollgewändern, Japaner im Einheitsanzug, plattköpfige Koreaner, magere alte Amerikanerinnen mit Pelzjäckchen und grotesken Haarfarben und Kinder, Kinder aller Nationen und Altersgruppen, essende Kinder, lesende, weinende, schlafende, Kinder auf Mutters Schoß und auf Vaters Arm, Kinder, die eine Puppe oder ein kleines Köfferchen umklammerten oder die an den großen Scheiben standen und auf die Rollbahn starrten, stumm und traurig, sich von Weihnachten nichts mehr versprechend. Die Luft war warm und abgestanden, die Halle von Lärm erfüllt, niemand sah freundlich, gelassen oder glücklich aus. Das Reisen am Heiligen Abend strengte alle Gefühle auf das äußerste an, und dann kam Erika.

Ich hatte mir ihren Rücken vor den Busen gepreßt, so daß sie den Leuten ihren hellrosa Bauch zeigte und die vier stämmigen Beine in die Luft streckte. Mit ihren freundlichen blauen Glasaugen veränderte Erika in ein paar Sekunden den ganzen Raum. Der Geräuschpegel wurde raunend sanft, Gelächter war zu hören. Die Kinder standen auf, wurden von den Eltern angestoßen, geweckt, Köpfe drehten sich um, ein paar Kinder kamen angelaufen. Zaghaftes Lächeln wurde zu breitem Lachen, in die Luft kam Bewegung, und in allen Sprachen der Welt, die ich nicht verstand, sagten kleine Jungen und Mädchen dasselbe: Oh, darf ich es anfassen? Ich nickte. Erikas Pfoten wurden gedrückt, ihr Ringelschwänzchen vorsichtig aufgerollt, ihre Ohren gekrault. Ein dunkler Junge tupfte sacht auf eines der blauen Glasaugen, und ein kleines schwarzes Mädchen mit zahllosen Perlenzöpfchen küßte Erika mitten auf die Schnauze und rannte dann schnell hinter den schützenden Rücken seiner Mutter.

Hätte ich mich in diesen Raum gestellt und zu diesen Menschen von Sanftheit und Liebe, von Harmonie und Sehnsucht, von Weihnachten, von Erlösung und Versöhnung gesprochen – niemand hätte mir zugehört. Eine peinliche Figur wäre ich gewesen, und der Wachmann hätte mich beim Arm genommen und gesagt: «Darf ich Sie zu Ihrem Flugzeug bringen?» oder: «Jetzt trinken Sie erst mal eine Tasse Kaffee.» Erika schaffte die Verzauberung durch ihre bloße Anwesenheit. Ein Schwein von solcher Größe, mit einem so milden Blick und einer derart weichen Anfaßfläche vermittelte mehr Frieden auf Erden und den Menschen ein Wohlgefallen, als die Prediger aller Mitternachtsmessen das würden schaffen können. Nehmt das geschundene, verkitschte, blondgelockte Jesuskind aus den Krippen und legt ein lebendgroßes Schwein mit rosa Fell und flehenden Glasäuglein unter den Weihnachtsbaum, und ihr werdet ein Wunder erleben!

Die letzte Maschine nach Mailand war klein, fast gemütlich, nicht ausgebucht. Erika konnte neben mir sitzen und wurde von Captain Travella und seiner Crew als *sorpresa speciale* an Bord herzlich begrüßt. Ein Gast *molto strano, però simpatico*, und die fünfzehn, zwanzig Fluggäste applaudierten.

Allmählich geriet ich in eine fast ausgelassene Stimmung. In nur wenigen Stunden hatte Erika mein Leben bereits verändert, das heißt, mein Leben mit Erika war anders abgelaufen, als es das ohne Erika getan hätte: Ich hatte mit wildfremden Menschen gesprochen, sogar mit dem Taxifahrer, Leute hatten mich angestrahlt und ich hatte zurückgelacht, und überall da, wo Erika und ich aufgetaucht waren, hatten wir die Stimmung und die Gesichter der Menschen für einen Augenblick aufgehellt.

Ich bestellte mir einen Rotwein und auch einen für Erika, der kommentarlos freundlich geliefert und serviert wurde.

Wir flogen über die Alpen, und ich lehnte meinen Kopf an Erikas Schulter, fühlte mich wohl und wäre gern immer so weitergeflogen, um die Welt.

In Mailand streikten die Angestellten des Flughafens. Keine Treppe wurde an das Flugzeug gefahren, kein Bus kam auf das Rollfeld, um uns zu holen, wir mußten das Flugzeug über eine Rutsche verlassen. Als ich an der Reihe war, überlegte ich, ob ich zuerst rutschen und Erika solange einem andern Passagier oben anvertrauen sollte, oder ob ich Erika mit dem Ruf: «Erika, ich komme!» nach unten schicken und sofort nachkommen sollte. Die Entscheidung wurde mir durch die weitgeöffneten Arme bereits unten stehender Passagiere abgenommen: «Avanti!» riefen sie, und: «Vieni, bella!», und sie meinten Erika, die auf ihrem runden Rücken nach unten rollte und in die geöffneten Arme fiel, gedrückt, geküßt und gelobt wurde: «Brava, brava!» Ich rutschte nach und nahm sie eifersüchtig in Empfang, ganz stolze Mutter eines vielbeachteten Kindes. Wir mußten unsere Koffer selbst aus dem Bauch des Flugzeugs holen und dann den langen Weg übers Rollfeld zum Zollgebäude zu Fuß gehen. Die Passagiere halfen sich gegenseitig mit ihren schweren Gepäckstücken. Erika hatte eine milde Laune über all die gegossen, die sonst nur daran dachten, selbst so gut und so rasch wie möglich klarzukommen. Ein Schwein weilte unter uns und sorgte für samtene Heiterkeit am Vorweihnachtsabend. Ich bildete ein Paar mit einem großen Schwarzen, der sich zu seinem Koffer noch meine Reisetasche über die Schulter hängte und mir dafür sein kleines Aktenköfferchen zu tragen gab, aber in der Mitte zwischen uns schwebte Erika – er hielt ihre linke, ich die rechte Pfote –, und so gingen wir über den dunkelnassen Asphalt, von allen beneidet, denn mit Erika wäre jeder gern gegangen, aber er war der Entschlossenste gewesen. Ich hatte sofort Lust, für den Rest des Lebens mit diesem Schwarzen zusammenzubleiben, Erika in der Mitte, aber er erzählte mir, daß er Mr. Wilson heiße und Weihnachten bei seiner Schwester in Mailand verbringe, ohne seine Familie in Cleveland, Ohio. «A wonderful present», sagte er über Erika, und ich erschrak bei dem Gedanken, sie verschenken zu müssen.

Die italienischen Zollbeamten winkten mich auf die Seite. Mr. Wilson verabschiedete sich mit Bedauern und händigte mir meine Reisetasche aus, aber die Tasche fand wenig Interesse bei den Zöllnern. Sie piekten mit den Fingern ins Schwein, rochen daran, drehten es um, versuchten, ob es klapperte, und Nando mußte kommen und Luigi, Michele, Danilo und Sergio, und jeder mußte Erika anfassen, begutachten, hochheben. Als sie in den Röntgenkasten geschoben werden sollte, protestierte nicht nur ich. Die Passagiere empörten sich mit mir: so ein Unsinn, ein Schwein, ein Weihnachtsgeschenk für ein Kind, nun solle man nicht päpstlicher sein als der Papst... Schließlich holte der, den sie Danilo nannten, einen alten, schlechtgelaunten Schäferhund, der mit seiner nassen Nase auf Erika herumschnüffelte und die Drogen bei ihr suchte, nach denen man ihn süchtig gemacht hatte. Sein Interesse an Erika war so gering, daß wir endlich die Sperre passieren konnten. Mr. Wilson, in Begleitung seiner Schwester, hatte auf uns gewartet und schien erleichtert. Er zeigte auf uns, die Schwester führte die Hand zum Mund und lachte. Wir winkten uns zu, und dann verschwand er und ich suchte den Bus zum Bahnhof.

Der Busfahrer rauchte, trotz der überall angebrachten Schilder «Vietato fumare». Wir fuhren durch Straßen mit hohen, alten Häusern, die Schaufenster waren weihnachtlich geschmückt, und bunte Lichterketten flimmerten in den kahlen Bäumen der Vorgärten. Der Bus soff dreimal ab und blieb mitten auf der Straße stehen – dann fluchte der Fahrer, stieg aus, trat irgendwo dagegen, kam wieder herein, betätigte alle möglichen Hebel und es ging wieder weiter. «L'intelligenza si misura col metro» stand auf einer Wand, und ich überlegte, ob das bedeutete, daß die Intelligenz Metro fährt oder daß sich die Intelligenz mit dem Metermaß messen ließ – mein Italienisch war für solche Feinheiten nicht gut genug. Ich hatte meine Tasche ins Gepäcknetz gelegt und hielt Erika auf dem Schoß. Ein Nordafrikaner saß müde und knurrig neben mir und sah aus dem Fenster auf all den Dreck und den Verkehr, aber ich merkte, wie er mit der einen Hand einmal kurz über Erikas dicken Hintern strich. Alle anderen Fahrgäste sahen natürlich immer wieder zu uns herüber, und jeder reagierte auf seine Weise, mit Lächeln, hochgezogenen Augenbrauen, begeistertem Kopfnicken. Ich las in einer Zeitschrift, die ich aus dem Flugzeug mitgenommen hatte. In einem Artikel über Venedig stand: «Quando sulla laguna piove zucchero, la città dei Dogi aumenta il suo incantesimo», und in englisch übersetzt stand platt daneben: «When it's raining sugar on the lagoon, the city of the doges is an enchantment.» Ich stellte mir vor, wie ich mit Erika in Venedig wäre und wir würden zusammen Gondel fahren auf den schwarzen Kanälen, und auf den Brücken würden die Menschen stehenbleiben und dem blitzrosa Schwein auf ihren dreckigen Wassern zuwinken. Ich wurde müde und schlief an Erikas rosa Rücken fast ein, aber wir kamen am Bahnhof an, und ich mußte aussteigen.

Der Mailänder Bahnhof ist groß und hoch und sehr alt und schön, mit würdigen Fenstern, geschnitztem Holz und prächtigen, fast jugendstilartigen Verzierungen. Wie auf jedem Großstadtbahnhof gab es auch hier ein Menschengewimmel, so daß man ständig geschubst und gestoßen wurde, wenn man nicht aufpaßte, aber ich hatte eine Gasse, durch die ich gehen konnte. Erika sah mir mit blauen Glasaugen den Weg frei, und ich ging wie das Volk Israel durchs Rote Meer durch diesen überfüllten Weihnachtsbahnhof, und hinter mir schlossen sich die Wogen wieder.

Mein Zug war brechend voll. Kein Speisewagen, keine Möglichkeit zu entkommen, ich mußte auf dem Gang stehen und mir meine Tasche zwischen die Beine klemmen. Aus dem Sechsmannabteil winkte jemand: Geben Sie mir nur Ihr Schwein, ich halte es! Erika landete auf dem Schoß einer alten Frau, die alles ausgiebig betastete und beschnüffelte, und dann wanderte sie weiter von Schoß zu Schoß, von Arm zu Arm, eifersüchtig und mißtrauisch von mir bewacht. Ich bin jemand, der von Kristallüstern in Hotels immer ein paar geschliffene Glasanhänger stiehlt, und mit hellwachen Sinnen paßte ich auf, daß sich keiner an Erikas blauen Augen zu schaffen machte, ich kannte die Bosheit der Menschen, mir mußte man nichts erzählen!

Ich erinnerte mich daran, wie ich an meinem Geburtstag mal mit Franz in einem sehr eleganten Lokal zum Essen war. Sie hatten ausnehmend schöne Weingläser mit einem eingeschliffenen Sternchenmuster, und ich wollte so gern eins haben. Franz nahm eins vom Tisch, winkte dem Ober und fragte: «Wir haben leider ein Glas zerbrochen, was sind wir schuldig?» – «Oh, nichts, das kann passieren», sagte der Ober natürlich, und Franz grinste und steckte das Glas ganz offiziell in meine Handtasche.

Der Zug fuhr durch eine trostlose Industrielandschaft mit zerbröckelnden Mietskasernen für die Arbeiter der Auto-, Amaretto- und Möbelwerke. Auf vielen Balkons die bunten Lichterketten, die nach Karneval aussehen, in Italien aber zu Weihnachten gehören. Blinkende Lichterketten in Palmen und Oleanderbüschen und magere Katzen in vertrockneten

Vorgärten. Ich wurde plötzlich so traurig, fühlte mich so verlassen, so kläglich, so erschlagen von der Armut und dem Dreck der Welt, daß ich mit einer harschen Gebärde Erika zurückverlangte und mein Gesicht in ihren dicken weichen Nacken preßte. Die Weihnachten meiner Kindheit fielen mir ein, die keine Weihnachten waren, weil meine Mutter mit Kirche und Christentum nichts zu tun haben wollte und also auch kirchliche Feiertage nicht akzeptierte. Weihnachten fand einfach nicht statt, es gab weder einen Baum noch Geschenke, und für ein Kind ist das nicht leicht zu verstehen. Ich saß im Wohnzimmer am Fenster, sah überall in der Straße die Christbäume aufleuchten und schluckte die Tränen hinunter. Franz und ich hatten uns immer einen Baum geschmückt, mit lauter verrückten Utensilien wie Küchensieben, Gabeln, Korkenziehern, aber doch mit Kerzen, und Geschenke gab es auch, und dann beleuchteten wir das Bühnenbild zu «Don Giovanni», in dem aus Fahrradbirnchen zusammengeleimte Kronleuchter hingen, hörten die Ouvertüre und versteckten Futter für Kain und Abel auf den Balkonen. Was würden Franz und ich, wir beiden Einsamen, heute abend tun? Er hatte vielleicht etwas gekocht, und ich hatte Erika für ihn. Ob wir es schaffen würden, die zynischen Witze mal für einen Abend wegzulassen? Ob wir wirklich miteinander reden konnten, über alles, was schiefgegangen war und über Pläne und Hoffnungen? Ob ich würde sagen können: Mein Vater ist tot, ich bin so traurig und verlassen, ob ich würde sagen können: Ich bin krank, ich muß operiert werden, und ich fürchte mich so? Und würde er mir erzählen von seiner Arbeit und warum er dafür so weit geflüchtet war? Hatte er keine Freundin? Im Leben von Franz gab es immer Frauen, sogar als er mit mir noch zusammen war, aber ich bin nicht von der eifersüchtigen Sorte – ich kann einfach keine Szenen machen, zumal ich das Gefühl kenne, sich in jemanden zu verlieben, und sei es nur für einen Abend. Was war schon dabei in einem so kurzen und endgültigen Leben. Ich fürchtete mich plötzlich vor den scharfen Falten im Gesicht von Franz, vor seinem scharfen Verstand und seinem scharfen Blick auf mich. Als der Zug nach längerem Halt und einer Zollkontrolle – Erika wurde abermals sehr ausgiebig betastet und überprüft – von Chiasso aus weiterfuhr, nächster Halt Lugano, brach mir der Schweiß aus. Ich müßte mich von Erika trennen, für Franz, der sie vielleicht gar nicht schätzen würde. Ich müßte neben Franz im Bett liegen heute abend, und auf einmal erinnerte ich mich daran, wie verbissen und fast gewalttätig Sex in den damals letzten Wochen zwischen uns gewesen war. Wir wußten, daß wir uns trennen würden, und es war, als wollten wir vorher versuchen, uns gegenseitig zu zerstören. Am Ende waren wir matt und sanft gewesen und friedlich auseinandergegangen, aber die Wochen davor hatte jeder versucht, den anderen zu zerbrechen.

Ich konnte Franz nicht wiedersehen. Ich konnte nicht, ich wollte nicht, es war aus zwischen uns, und nach all den Jahren waren wir auch keine Freunde mehr. O Gott, ich hätte nicht herfahren sollen, diese weite Reise, am Heiligabend, nun stand ich in diesem überfüllten Zug und fuhr in eine Stadt, die ich nicht kannte, zu einem Mann, mit dem ich fertig war und dessen Ironie ich in meinem desolaten Zustand nicht würde ertragen können. Und Erika – um keinen Preis würde ich Erika hergeben, schon gar nicht an Franz.

Als der Zug in Lugano hielt, sah ich ihn sofort. Er stand unter einer Lampe, in einem eleganten Mantel, und rauchte. Seine Augen waren zusammengekniffen und sein Gesicht schien mir noch schmaler als früher. Ich spürte eine vertraute Zärtlichkeit für ihn, den ich so gut kannte, aber gleichzeitig eine würgende Angst, ihm gegenüberzutreten, von ihm umarmt zu werden, ihn zu küssen. Ich blieb stehen, mein Gesicht in Erikas Fell gepreßt, und ließ die Reisenden an mir vorbei aussteigen. Das Abteil wurde fast leer. Franz schlenderte über den Bahnsteig, suchend, er kam auch an meinem Fenster vorbei, sah flüchtig hoch, beobachtete aber sofort wieder den Bahnsteig, die Hände tief in den Taschen, die Zigarette im Mundwinkel. Franz! dachte ich, weißt du noch, früher haben wir immer behauptet, daß Liebende ihre gegenseitige Nähe spüren, sie fühlen, wenn der andere ins Lokal tritt und drehen sich im rechten Augenblick um – das war in unserer allerersten Zeit, als wir noch so glücklich miteinander waren. In einem Lokal haben wir uns kennengelernt, ich war an Wochenenden Aushilfskellnerin, um mein letztes Semester zu finanzieren, und du kamst an einen Tisch und studiertest so lange die Karte, daß ich schließlich auf dich zugegangen bin und gesagt habe: «Ich bin Lisa mit der Empfehlung des Tages, Hände weg vom Käsekuchen, der ist von letzter Woche, aber den Apfelkuchen kann ich nur empfehlen.» Du sahst mich verblüfft an und sagtest schlagartig: «Gut, dann nehme ich den Käsekuchen.» Wir mußten beide lachen und du sagtest: «Das ist aber ein klasse Trick, um die Reste loszuwerden», und ich sagte: «Der ist nicht von mir, er ist aus irgendeinem Film, aber er gefällt mir so gut.» – «Du gefällst mir auch gut», sagtest du, und an dem Abend lag ich schon in deinem Bett – mit uns war immer alles ganz schnell und unkompliziert gegangen.

Und genauso schnell entschied ich mich jetzt, aus diesem Zug nicht auszusteigen. Ich wollte Franz nicht wiedersehen. Ich wollte nicht, nur weil es uns beiden schlechtging, eine alte Geschichte wieder aufwärmen. Ich wollte mich von Erika nicht trennen, und der Zug fuhr weiter, rollte aus dem Bahnhof von Lugano durch einen langen, finstern Tunnel, und ich dachte: «Frohe Weihnachten.»

Ich stellte mir vor, wie Franz jetzt verblüfft zurückbleiben und in der Bahnhofsgaststätte einen Espresso trinken würde. Dann würde er vielleicht nach Mailand telefonieren, ob das Flugzeug pünktlich angekommen sei, er würde noch einen Zug abwarten und vielleicht noch einen, und schließlich würde er in seine elegante Wohnung über dem See zurückfahren und auf einen Anruf oder ein Telegramm warten, sein Roastbeef endlich allein essen, seinen Fendant dazu trinken und fluchend aus dem Fenster sehen und denken: «Das gibt's doch nicht, daß die kleine Betty mich so linkt.»

Ich wußte nicht, was aus mir werden sollte. Ich wußte nicht, wie weit ich fahren, wo ich übernachten würde, aber ich hatte Erika und einen Platz im leergewordenen Abteil, auf den ich mich mit ihr setzte. Der Zug fuhr durch kleine Bahnhöfe, ohne zu halten: Taverne-Torricella, Mezzovico, Rivera-Bironico. Die Orte sahen sauber und adrett aus, hier war man in der Schweiz und nicht mehr in italienischem Durcheinander. In welcher faden Pension, in welchem Ort würde ich landen? Ich war in Berlin mal an einem verzweiflungsvollen Nachmittag ins Kino gegangen, ohne aufs Plakat zu schauen, ohne zu wissen, welcher Film lief. Es hätte schiefgehen können, aber es ging gut, und ich war in eine wunderbare Komödie mit dem dummen Titel «Ein Haar in der Suppe» geraten, hinter dem sich ein witziger und gutgemachter Film über Studenten und Künstler in Greenwich-Village verbarg. Vielleicht, dachte ich, hält der Zug in einem zauberhaften Ort, und ich steige aus und mache mein Glück, es ist alles drin. Und ich bereue keinen Augenblick, Franz auf dem Bahnhof stehengelassen zu haben. Franz war schon eine Million Lichtjahre weit weg, und außerdem konnte man wahrscheinlich von überall nach Zürich weiterfahren und von dort aus noch nach Hause fliegen.

Der Zug fuhr jetzt langsamer. Links sah man in einem Tal eine Industrieansiedlung, rechts lagen schöne alte Villen unter hohen Zedern an einem Hügel. Ein Kastell wurde sichtbar und ein ehrwürdiges Gebäude mit der Inschrift «Istituto Santa Maria», wahrscheinlich etwas für höhere Töchter, und dann hielt der Zug kurz nach 19 Uhr in Bellinzona. Ich stieg aus und stand mit Erika auf einem fast leeren Bahnsteig. Es war kalt, und vor mir versuchte eine Taube, einen Krümel aufzupicken, aber es gelang ihr nicht, denn ihr Schnabel war mit Kaugummi verklebt. Ich verließ den Bahnhof und sah direkt gegenüber ein riesiges, rosafarbenes Hotel, *Albergo internazionale*. Alle Fenster waren geschlossen, und an der Tür hing ein Schild: *chiuso*. Ich schulterte meine Tasche, preßte Erika an mich und ging die Straße am Bahnhof hinunter, die aussah wie fast alle Straßen an fast allen Bahnhöfen – Boutiquen, Kaufhäuser, Jeans shops, Reisebüros, Armbanduhren, Tabak und Zeitschriften. Ich sah in alle Nebenstraßen hinein, und bei der dritten hatte ich Glück: *Pensione Montalbina*.

An der Tür war ein Schild: *chiuso*, aber im Parterre war hinter vorgezogenen Gardinen Licht zu sehen. Ich mußte es versuchen. Ich war sicher, daß Erika mir die Türen öffnen würde. Das Jesuskind, dessen Existenz meine Mutter so gründlich bezweifelte, wurde am Heiligabend nirgends eingelassen, aber einem Plüschschwein würde man sich doch nicht verschließen können!

Eine Gardine wurde vorsichtig zurückgeschoben, und hinter der Scheibe erschien ein dicker roter Männerkopf. Mit kreisrunden Augen schaute er auf mich und winkte mit dem Zeigefinger ab. «Chiuso!» formte sein kleines fettes Mündchen, aber ich sah ihn flehend an und hielt Erika hoch. Er starrte auf Erika, und die Gardine wurde wieder vorgezogen. Innen hörte ich ihn schlurfen, und nach langem umständlichem Genestel wurde schließlich die Tür geöffnet. Vor mir stand ein Mann, nicht viel größer als ich, aber unermeßlich dick. Der runde Kopf saß ihm halslos auf den Schultern, seine Füße hatte er sicher seit Jahren nicht sehen können unter dem mächtigen Bauch, und die feisten Arme ruderten mit abwehrender Geste rechts und links neben dem Körper. «Chiuso», sagte er, geschlossen, niemand da, und staunte Erika an. «Was ist das denn?» fragte er, und ich sagte: «Das ist ein Schwein, und wir suchen ein Zimmer für eine Nacht und ein Abendessen.» – «Ein Schwein», murmelte er, «un maiale!» und streckte die Hand aus, um Erika vorsichtig zu streicheln. «Es heißt Erika», sagte ich kühn, und der Dicke nickte ehrfürchtig und murmelte, als sei das die selbstverständlichste Sache der Welt: «Erika.» – «Bitte, lassen Sie uns rein», sagte ich, «mich und Erika. Wir wissen nicht, wohin wir sollen», und ich zeigte ihm auch vorsichtshalber, daß ich Geld hatte, um ein Zimmer zu bezahlen.

Er schüttelte den Kopf, aber eher ratlos und verzweifelt als wirklich abweisend. «Es geht nicht», sagte er, «die Pension ist bis 15. Januar geschlossen, und ich bin nur der Koch. Es ist niemand da.» – «Bitte!» sagte ich, und ich wußte selbst nicht, warum ich so hartnäckig war. Ich hätte ja auch einfach zum Bahnhof zurückgehen und nach Zürich fahren können, aber ich war müde und fror, und dieser Dicke flößte mir Vertrauen ein, nachdem ich den ganzen Tag mit der dicken weichen Erika so glücklich gewesen war. Ich wollte meinen Abend mit einem fetten Koch und einem runden Schwein verbringen.

Der Mann starrte mich lange an, und Kämpfe spielten sich in seinem Innern ab, man konnte es auf seinem Gesicht lesen.

Die Stirn lag in qualvollen Falten, das Mündchen spitzte sich und stieß kleine Laute aus, die Nase bebte, und die Kugelaugen weiteten sich immer mehr. Seine Gesichtsfarbe ging von Rosa in ein dunkles Rot über, und die Ohren schienen violett, und endlich hob er die Arme, legte den Kopf schief, stieß mit dem Fuß die Tür etwas weiter auf und ließ mich eintreten. Er schloß hinter mir ab, und da stand ich nun in einem dunklen Flur, Erika im Arm, und wartete, was in diesem Jahr aus Weihnachten noch werden würde.

Der Dicke tänzelte auf zierlichen Füßen vor mir her und öffnete die Tür zu einer erstaunlich großen Küche, in der ein Kaminfeuer brannte. Ein großer Herd war an der einen Seite, umgeben von Regalen mit Gerätschaften, und an der anderen Seite stand ein riesiger gescheuerter Holztisch mit einer Bank und ein paar Stühlen. Auf dem Tisch standen ein Teller mit Salami, eine Flasche Wein und ein Kofferradio, aus dem Riccardo Cocciante sang. Der Dicke wies mir mit der Hand einen Platz am Tisch an und stand unschlüssig herum. Ich setzte mich und plazierte Erika neben mich, die ihre Pfoten brav auf die Tischplatte legte. Der Dicke konnte sich nicht satt sehen. «Erika», sagte er wieder, und: «mai visto un maiale così grande, noch nie habe ich ein so großes Schwein gesehen.»

Er nahm seinen Teller, der fast leer gegessen war, und steckte sich die letzten Salamischeiben in den Mund. «Jetzt kochen wir richtig», sagte er und band sich eine Schürze um. Er setzte einen Topf mit Wasser auf und holte Nudeln aus dem Schrank. In einer Pfanne rührte er eine Sauce an, auf einem Brett hackte er frische Kräuter, vor seiner Brust schnitt er ein großes Weißbrot in Scheiben. Er arbeitete stumm, rasch und sicher, und es schien, als hätte er mich vergessen. Nur auf Erika warf er ab und zu einen Blick und murmelte ihren Namen. Mitten in seiner Arbeit stellte er mir ein Glas hin und schob mir die Weinflasche zu. Ich goß mir und auch ihm ein und hielt mein Glas hoch. «Salute», sagte ich, und er drehte sich vom Herd um und sah mich an. Er lächelte und zeigte kleine weiße Zähne. Er nahm sein Glas, stieß mit mir an und sagte: «Franco.» – «Veronika», sagte ich, und er wiederholte: «Veronika. E Erika.»

Ich streckte meine Beine aus, genoß die Wärme und schloß die Augen. Ich hörte Franco hantieren und die Spaghetti abgießen, im Radio sang jetzt Franceso de Gregori das Lied vom kleinen Italiener, der auf einem großen Schiff nach Amerika fährt. Aber er sieht nichts von Amerika, denn er ist Heizer und muß immer unten im Bauch des Schiffes bleiben, *in questa nave nera nera sul' quest' Attlantico cattivo*. Ich fühlte mich wohl und geborgen und dachte: «Adieu, Franz. Ciao, Franco.» Franco stellte einen Teller mit einer Gabel vor mich hin. Er brachte dampfende Schüsseln und fragte: «Lei non mangi?» sie ißt nicht? und zeigte auf Erika. Nein, sagte ich, aber ich hätte einen Riesenhunger, und wir fingen an zu essen. «Danke, Franco», sagte ich, und legte einen Augenblick meine Hand auf seine, als wären wir alte Freunde. Er war verlegen und konnte mich nicht ansehen. Erika saß zwischen uns – Franco am Kopfende des großen Tisches, dann Erika links an der Seite, dann ich, und wir schoben die Weinflasche vor Erika hin und her, bis sie fast leer war und Franco eine zweite holte. Er sprach ein bißchen Touristendeutsch, und ich radebrechte italienisch, und so versuchten wir, uns gegenseitig zu erklären, was uns ausgerechnet Heiligabend in diese Küche verschlagen hatte. Ich log etwas von auf der Durchfahrt, Flugzeug verpaßt, und er erzählte von Herrschaften, die in Urlaub waren. Er dürfe hier wohnen, weil er nicht nach Hause wolle. Ich fragte ihn, warum nicht – ob er Familie hätte, wo er wohne, und nach einer langen Pause mit stokkenden Anfängen kam dann schließlich Francos traurige Geschichte heraus – daß er vom Dorf sei, nicht hier aus der Schweiz, sondern aus Cusino, drüben in Italien, und jeden Tag fahre er als Koch hin und her, denn er habe eine Frau und eine Tochter. Und die Frau hatte ihn verlassen, gerade jetzt vor Weihnachten war sie zu einem Friseur nach Locarno gezogen, mit dem Kind, und allein hielt er es zu Hause nicht aus. Er sah Erika verzweifelt an und rief: «Meine Frau war auch so dick, und ganz rosa, so eine schöne zarte Haut!» und streckte die Hand aus und streichelte Erika, und Tränen kamen ihm in die Augen. Ich erzählte, daß ich geschieden sei und ganz allein lebte, und daß ich jemanden in Lugano besuchen wollte und dann einfach weitergefahren wäre, und ob wir nicht diesen Abend zusammen hierbleiben könnten?

«Sisi», rief er, jaja, und holte eine Flasche Grappa und zwei Gläser. «Sie ist einfach weggefahren mit ihm», schluchzte er, «was will sie denn mit einem Friseur, der kann ja nicht mal richtig für sie kochen!» Er holte Tiramisu aus dem Kühlschrank und machte uns in großen Tassen Cappuccino. Die zweite Flasche Wein war leer, und der Grappa floß auch gut weg. Ich legte den Kopf auf den Tisch und drehte am Radio. Ich fand das Weihnachtsoratorium und drehte es laut auf: «Bereite dich, Zion, mit herrlichen Chören, den Schönsten, den Liebsten bald bei dir zu sehen», sang ich mit, denn ich war als Kind in einem Bach-Chor gewesen und konnte alle Oratorien singen. Franco wischte sich mit der Schürze die Tränen ab, putzte seine Nase und nahm Erika auf den Schoß. «So weich war sie!» rief er, «so weich, und ich habe sie immer gut behandelt. Mit einem Friseur!» Und er fing wieder an zu weinen und drückte sein Gesicht zwischen Erikas Ohren. Jauchzet, frohlocket. Ich wurde so müde und rückte meinen Stuhl näher ans Feuer. Mein Grappaglas nahm ich mit und schaute in die Flammen, die loderten und knisterten, und ich hätte gern einen Tannenzweig verbrannt, damit es nach Weihnachten gerochen hätte. «Scheißweihnachten», sagte ich und legte noch ein Stück Holz nach, und Franco sagte: «Erika», und der Kopf fiel ihm herunter.

Als ich aufwachte, war es gegen Morgen und das Feuer war ausgegangen. Steif geworden hing ich in meinem Stuhl, das Grappaglas lag in Scherben auf dem Boden. Tageslicht drang durch die Vorhänge, und quer über dem Tisch lag der dicke Franco, den Kopf auf Erika gebettet, und schlief.

Ich stand sehr leise auf, nahm meine Tasche und ging, ohne ein Geräusch zu machen. Der Schlüssel steckte in der Haustür, die ich hinter mir zuzog. Die Straße lag still und leer da, ich sah zur *Pensione Montalbina* hoch und dachte: «Alles Gute, Erika, tröste ihn, du kannst es!» und ging zum Bahnhof. Zu Hause in Berlin fand ich ein Telegramm von Franz: «Was ist los, verdammt?», und ich telegraphierte zurück: «Nichts. Adieu» und rief meine Mutter an, die noch gar nicht gemerkt hatte, daß ich weggewesen war und daß erster Weihnachtstag war.

Dein Max

«Dieser Frühling ist ein Frühling der aufgerissenen Fenster und Türen», schrieb er, «aus denen vieles rausfliegt, das lange angestaubt war und auf wackligen Beinen herumstand. Vielleicht fliegt dabei auch einiges mit, was man noch hätte gebrauchen können, aber das wird sich erst später herausstellen. Zwischen uns, liebe Rita, gibt es vieles, was nicht stimmt. Tja. So ist das nun mal alles gekommen. Und jetzt kommt was anderes. Leb wohl, Dein Max.»

Der Brief war sechs Seiten lang, in seiner schönen Schrift. Rita las ihn um zehn Uhr zwanzig an einem strahlendblauen Vormittag im März. Sie schnappte sich den Hund und suchte einen Weg aus, den sie schon lange nicht mehr gegangen war. Die Natur sah ziemlich mitgenommen aus – das war ein grimmiger Winter gewesen, zu lang, zu kalt, zuviel Schnee, böse Stürme. Die meisten Birken waren einfach in der Mitte durchgebrochen, Bäume lagen kreuz und quer durcheinander, die Wege waren tief zerfurcht. Rita wollte schon lange weg aus dieser Gegend, in der man die Jahreszeiten so deutlich miterleben mußte. Das war nichts für sie, sie liebte die immergleichen grauen Dunsttage der Städte.

Der Hund schleppte Stöcke an, die sie ihm werfen sollte. Er sprang ausgelassen vor ihr herum, und Rita dachte, gut so, mein Lieber. In jedes schwarze Loch, das sich anbietet, fall ich auch nicht mehr. Schreib doch, was du willst, ich denke nicht daran, jetzt trübselig zu werden.

Am Landgut waren sie fast fertig mit den Bauarbeiten. Jahrzehntelang war das Gut vor sich hin verrottet, bis dann der elektrische Millionär gekommen war und alles im alten Stil sanieren ließ, sogar das zerfallene Gartenhaus hatten sie höchst putzig wiederaufgebaut. Da hatte sich damals der Maler Ulrich aufgehängt, als sie ihm wegen der bevorstehenden Renovierung kündigten. Eines Tages, dachte Rita, wenn der Millionär mit seiner dritten und gewiß bezaubernden Gattin hier eingezogen ist, werde ich klingeln und sagen: Entschuldigen Sie die Störung, aber ich möchte Ihnen nur rasch die Stelle zeigen, an der der Maler Ulrich sich Ihretwegen aufgehängt hat.

Der Hund haute ihr einen großen Stock in die Kniekehlen, und sie riß ihn brutaler aus seinem Maul als nötig gewesen wäre und schmiß ihn den verwüsteten Hang hinunter. Sie rannte, bis Herz und Lungen schmerzten, und weinte zornig, weil ihr nie wieder Ivan, der wildernde Hund des Malers Ulrich begegnen und sie anblaffen würde, dieser schöne ungestüme Wüstling, der nach dem Tod des Malers erschossen worden war, weil niemand mit ihm fertig wurde.

Das neckische Hexenhäuschen war jetzt in der Talsenke zu sehen. Ausgerechnet da hatten sie den Kinderfunk untergebracht. Wenn ich ein elektrischer Millionär wäre, dachte Rita, würde ich es ganz und gar mit Zuckerplätzchen und Lebkuchen bepflastern und von Aussiedler-, Türken- und Zigeunerkindern leer fressen lassen, dann hätten wir wieder was Herziges für die Lokalpresse.

Mitten in der zerschlagenen Landschaft wuchsen doch wahrhaftig schon erste Frühlingsblumen, eine Gegend für Rotkäppchen, aber ohne Wolf. Rotkäppchen. Ausgerechnet über Rotkäppchen hatte Rita sich neulich eine ganze Nacht lang gestritten mit irgendeinem Roland, Ilses psychologischer Neuerwerbung. Ilse war Ritas Freundin – nein, das war sie natürlich nicht, Ilse war eine schmuddelige Schlumpfliese, die sie mal vor sieben oder acht Jahren kennengelernt hatte und die ihr mit Briefen und Telefonaten eine zähe, klebrige Freundschaft angehängt hatte – «rat mal, wer um diese Zeit noch anruft?» Rita hatte Ilse eigentlich in den letzten Jahren immer nur benutzt als Ausflucht, wenn sie Max nicht treffen wollte. (Mein Gott, dachte sie, immer war ich es doch, die beschlossen hat, ob man sich sieht oder nicht, warum trifft es mich dann jetzt so, wenn er es ist, der schreibt: leb wohl?) Ilse und Roland. Rotkäppchen. Ob das nun was Sexuelles wär, hatten sie bis vier Uhr früh diskutiert, und was «auffressen» bedeutet, und wer Wolf, wer Jäger ist a) in der Geschichte, b) im Leben, und Roland hatte Wörter wie «Identitätsdesign», «Leidenssreizung» und «Ego-Zubehör» benutzt, und Rita hatte gesagt: «Was hast du denn da wieder für ein Arschloch aufgetan, Ilse», als er zum drittenmal aufs Klo schlurfte.

Ilse hatte Roland auf der Uni kennengelernt, er war Psychologe mit Lehrauftrag, und auf diese kleinen ungesunden Besserwisser war sie ja schon immer abgefahren. Ilse liebte häßliche, verklemmte Männer, die bedeutend jünger waren als sie, ihr die Tasche trugen und beim Geschlechtsverkehr in Tränen ausbrachen, weil irgendwas aus ihrer Kindheit sie überwältigte.

Rita hatte Ilse damals schon aus dem Zug angerufen, vorsichtshalber, denn wäre sie allein in eine Kneipe gegangen, hätte sie sich ja früher oder später doch mit Max getroffen, und sie wollte versuchen, ihn eben nicht zu treffen. Dann schon lieber ein zäher Abend bei Ilse, und die hatte sie auch gleich beschworen, «du mußt Roland kennenlernen, es ist alles noch ziemlich distanziert zwischen uns, weißt du, weil ich noch so angeschlagen bin von der Kiste mit Olaf. Olaf läßt dich übrigens grüßen, wir treffen uns jetzt manchmal freundschaftlich in der Bhagwan-Disco, aber das darf Roland nicht wissen, er ist so irrsinnig sensibel.»

Spätestens da hätte Rita sagen sollen, Ilse, leck mich sowohl mit Olaf als auch mit dem irrsinnig sensiblen Roland am Arsch, ich kann euch ehrlich gesagt alle nicht mehr ertragen, und sie hätte vom Bahnhof aus direkt in ihre Kneipe fahren sollen, in der das scharfe Video mit Tina Turner und David Bowie lief. Statt dessen hatte sie sich von Ilse am Zug abholen lassen, lila Rock mit braunen Rosen, Gesundheitsschuhe, rote Lippen, zu große Ohrringe. Max, Max, Max, hatte Rita gedacht, Max, wo bist du, Hilfe, Schönheit, mehr Liebe, bitte!

An der Tür schlug ihr Essensgeruch entgegen, Roland hatte gekocht. «Keinen Hunger», sagte Rita würgend, «ich eß immer im Zug.»

Sie tranken Champagner in der Küche, Ilse löffelte Gemüsesuppe und sagte: «Erzähl doch mal von deiner Arbeit.»

Rita erfand ein paar spannende Konflikte und bereute es, als sie sah, wie fassungslos vor Entzücken ihr Ilse zuhörte, mit offenem Mund, aus dem die Suppe lief. «Toll», sagte Ilse, «was du immer alles erlebst», und Rita dachte: Warum, verdammt noch mal, schaffe ich es nicht, die Leute so zu langweilen, daß sie mich vergessen? Jetzt würde Ilse wieder schreiben und anrufen und anrufen und schreiben und es nahm nie ein Ende.

Roland kam in die Küche, und sie hatten sofort Streit gekriegt. Irgendwer hatte von Rotkäppchen angefangen, und Rita hatte die Diskussion in immer absurdere Ecken getrieben

– sexuell? Mann – Wolf, penetrieren? Alles Scheiße! Rotes Mützchen! Marx! Um Außenseiter ging es, alles politisch, Kommunistenfresser.

Rita stellte fest, daß sie auf einmal doch Blumen gepflückt hatte, ein mageres Sträußchen. Sie legte sie auf eine Bank und atmete tief durch. Ilse, Roland. Weg damit. Sie würde einen Brief schreiben, liebe Ilse, dies ist der Frühling der offenen Fenster...

Mein Gott, wie weh das tat. War sie für Max so lästig gewesen wie ihr Ilse ist? Ab damit, auf den Erledigthaufen? Leb wohl, dein Max. Und das in diesem Jahr, in dem sowieso bis jetzt alles schiefläuft, und dabei ist es erst März.

Der Hund hatte unter einem Laubhaufen einen Igel entdeckt und scharrte und bellte. Er trottete nur widerwillig hinter Rita her, die fest und energisch ausschritt. Nein, sie machte sich nichts vor: Zwischen ihr und Max hatte von allem Anfang an nichts gestimmt. Schon das Kennenlernen war eine kranke Sache gewesen, an einem jener Tage, an denen Rita nach Köln fuhr, ohne dort etwas zu tun zu haben, einfach so, weil Stillstand Tod bedeutet hätte. Der Zug fuhr die schöne Strecke am Rhein entlang durch eine Gegend, in der sie ein kleines Mädchen gewesen war – Faltenröcke, Tagebücher, Klavierstunden, Liebesbriefe. Hinter Budenheim ist eine Glashütte – Katharina, Katharina, meine Freundin, wo bist du? Weißt du noch, wie wir auf der Wiese lagen und uns vorstellten, was eine Glashütte sein könnte? Das mußte der Ort sein, an dem der verwunschene Königssohn mit den Tieren lebte, und abends kamen die verirrten Köhlertöchter und machten erst das Nachtessen und das Lager für sich selbst und dann für die Tiere, und die Tiere schüttelten traurig die Köpfe, sagten «ducks!», und die Köhlertöchter fielen durch Falltüren in tiefe Keller, bis einmal die kam, die zuerst für die Tiere sorgte, ehe sie sich schlafen legte, und da tat es Blitz und Donnerschlag und die Glashütte verwandelte sich in einen Glaspalast, und da lebte die Köhlertochter glücklich mit dem Königssohn – Katharina, was ist aus den kleinen Mädchen mit den gläsernen Träumen geworden? Die Glashütte hinter Budenheim ist aus Wellblech, denn wenn wir älter werden, gibt es keine Prinzen und keine Glaspaläste mehr, nur noch Donnerschläge.

In dieser Landschaft war Rita mit Hermann durch die Weinberge gegangen, und sie war auf eine Bank gestiegen und Hermann hatte ihr an den Mantelsaum ein Stück Nerz genäht, ringsum, denn das war der Winter der Piroschka-Mode, und alle Mädchen wollten aussehen wie Anouk Aimée in «Ein Mann und eine Frau», mit Pelz am Saum. Damals hielt Glück noch ganze Nachmittage lang, heute bringen wir es auf fünf bis zehn Minuten, wenn wir uns geliebt haben ohne zu reden.

Im Taxi lief Elton John, «All quiet on the western front». Rita ließ den Taxifahrer einen Umweg nehmen, damit sie den Song ganz hören konnte, aber dann hatte sie sich doch vor ihrer Stammkneipe absetzen lassen, und alles war wie immer. Der kleine dicke Dichter war da, ganz in Schwarz, und sie hatten sofort Streit bekommen, schrien sich an, tranken Wodka und fühlten sich wohl. Mascha stellte sich dazu und zeigte ihren schönen Busen, da hatte der kleine Dichter auf Augenhöhe ordentlich was zu gucken, denn Mascha war gute einsachtzig. Sie roch nach hundert verschiedenen Männern, und Rita hatte alle Männer zum Teufel und sich in Maschas Arme gewünscht, aber dazu waren sie alle noch nicht betrunken genug. Rita wechselte auf weißen Rum mit Zucker und Limone, damit ging es bei ihr immer am schnellsten. Das Schöne an Mascha war, daß sie nie sprach, sie stand immer nur da, weich, seidig, fahrig, ein Glas in der Hand, und plötzlich war sie wieder weg, allein oder mit jemand, der ihr den richtigen Blick zugeworfen hatte.

Zwei Musiker waren dazugekommen, der egozentrische und der experimentelle. Der egozentrische war gerade in Brasilien gewesen und tönte herum, daß er den Brasilianern erst mal beigebracht hätte, was Tango wäre. «Argentinien!» murmelte Rita matt. «Tango, das ist Argentinien», und er schrie sie an: «Warst du da oder ich, Mann?» und stritt sich dann mit dem kleinen Dichter über den Sinn von Kaffee-Solidaritätsabonnements für Nicaragua. Der experimentelle Musiker hatte was Falsches gegessen und kotzte quer über den Tisch und sah dann so aus, als würde er dem egozentrischen gleich eins in die Fresse geben. Rita hoffte sehr darauf, denn Schlägereien unter Freunden hatten immer etwas Befreiendes.

Mascha war mit diesem Typ weggeschwebt, der von einem brennenden Auto die dicken Narben an den Armen hatte und immer kurzärmelige Hemden trug, damit man sie auch sah. Dafür liebte Rita ihn, das machte alles so klar und einfach, und außerdem konnte er keinen vernünftigen zusammenhängenden Satz sagen. Der Alte war noch gekommen, mit zwei hohläugigen Mädchen. Er hatte eine Kneipe hinterm Bahnhof, heute war sein Ruhetag, und weil Leute mit Kneipen an ihren Ruhetagen nicht wissen, was sie mit sich anfangen sollen, sitzen sie dann eben in andern Kneipen. Plötzlich sagte jemand: «Da ist ja Max», und sie hatte ihn zum erstenmal gesehen.

Rita kroch auf Händen und Füßen keuchend hinter dem Hund her einen Abhang hinauf. Immer wieder blieb er freundlich wedelnd stehen und wunderte sich, wieso sie so langsam war. Oben legte sie sich atemlos und erschöpft auf den feuchten, weichen Boden, und der Hund leckte ihr mit seiner warmen Zunge übers Gesicht.

Sie hatten sich angesehen, er, der lange Magere, der Ruhige, und sie, die kleine Quirlige, und dann hatte er gesagt: «Weißt du was, wir beide sollten hier weggehen.»

Sie hatte so getan, als hätte sie das nicht gehört, denn wenn Sätze, von denen man immer träumt, auf einmal wirklich gesagt werden, also, das ist einfach zu blöd. Sie war statt dessen nach hinten an die Theke zu Lisa gegangen und hatte sich einen Wodka mit Amaretto mixen lassen, *Good mother* hieß diese grauenvolle Mischung, und Lisa sagte denn auch «What's good about it» und «du bist aber nicht gut drauf heute». Rita wußte, daß sie sich nie und nirgends je so wohl fühlen würde wie in dieser elenden Kneipe mit dem Neonlicht, den schlecht gespülten Gläsern, mit dem kleinen Dichter, der dem egozentrischen Musiker den Aschenbecher auf den Kopf haute und mit der Musik, die sie hier spielten, gerade war es Lou Reed und er sang «please, say hello».

Max war zu ihr an die Theke gekommen und sagte: «Also, ich muß hier raus, wir treffen uns dann um halb eins im alten Roxy.»

Rita versuchte sich zu erinnern, ob er sie geküßt hatte, kann schon sein, jedenfalls stand ihr Herz still vor lauter Zärtlichkeit für sein bitteres, müdes Gesicht.

Sie rappelte sich auf und ging weiter, der Hund blieb ratlos dicht neben ihr und verstand nicht, warum sie weinte. Es stimmt nicht, daß es die großen Katastrophen wie Krieg, Feuersbrunst oder Krebs sind, die uns fertigmachen. Das Herz bricht still zwischendurch an einem klaren Märztag, leb wohl, dein Max. Dagegen gab es kein Mittel. Das war diese neue Generation, die räumte rigoros mit verstaubten Gefühlen auf, während Rita ihre schal gewordenen Lieben durch die Jahrzehnte schleppte und elend an ihnen wurde. Max war zehn oder zwölf Jahre jünger als sie, da kann man noch die Fenster aufreißen und alles rausfliegen lassen, aber mach das mal mit Mitte Vierzig. «Du verdammtes Schwein», schrie Rita, «du Schuft, du Wichser, du grenzenloses Miststück», und sie trat gegen einen Baum, bis ihr der Fuß weh tat. Der Hund stand ein Stück abseits mit eingeklemmtem Schwanz und angelegten Ohren.

Sie zog die Nase hoch und wischte sich mit dem Ärmel die Tränen ab. «Scheißkerl», schrie sie und trat noch einmal gegen den Baum, ehe sie weiterging. Sie waren im Roxy damals, und es war fürchterlich gewesen. Ein Künstler machte eine Performance, eine unglaublich aggressive Geschichte: auf großen Monitoren lief «The day after», und aus vier Lautsprechern kam Bombenlärm. In der Mitte des Raums ein Maschendrahtkäfig mit Männern in olivgrünen Uniformen, die mit Knüppeln Männern in blauen Arbeitskitteln auf die Köpfe schlugen. Die Köpfe steckten unter roten Plastikeimern. Auf dem Boden Glasscherben, und daneben ein zweiter Maschendrahtkäfig, in dem ein nacktes Paar miteinander tanzte. Alles, wovor Rita Angst hatte, passierte hier in diesem Raum auf ein paar Quadratmetern, und plötzlich war Max wieder da und hatte den Arm um sie gelegt. Als Rita es nicht mehr aushalten konnte, war sie hinausgelaufen und über die Straße in die alte kleine Kirche gegenüber geflüchtet. Es war schon nach ein Uhr nachts, aber die Kirche war offen, kühl und still und voll von der zynischen Abwesenheit Gottes. Rita hatte am Seitenaltar alle Opferkerzen ausgeblasen, und eine Pennerin, die auf der letzten Bank schlief, hatte sie entsetzt angesehen und sich bekreuzigt.

Danach war Rita nicht mehr zurückgegangen ins alte Roxy, sondern hatte wieder ihre Kneipe angesteuert. An einer

Stelle der Straße rissen ein paar Punks frisch gepflanzte junge Bäume aus und zertrampelten sie, stachen mit Messern in die Reifen eines angeketteten Fahrrads, pinkelten an eine Haustür. In der stillen, gepflegten Stadt, in der sie wohnte, hatte Rita immer Angst, aber hier war die Sache klar – Krach, Gewalt, Aggressivität, offen und unversteckt, damit kam sie zurecht und fühlte sich fast geborgen.

Die Kneipe hatte schon zu, aber Rita kannte den Weg über den Hof nebenan und durch die Küche, den nur die Stammgäste kennen. Lisa zog sich eine Linie Koks rein, Mascha und der mit den Narben hatten Champagner bestellt, der kleine Dichter war auf dem Fußboden eingeschlafen. Tom Waits sang «I never heard the melody till I needed the song», und der hohläugige Alte spielte im Hinterzimmer Billard gegen die beiden Mädchen. Am Ecktisch saß der Kranke, seine Krücken neben sich gelehnt, und trank mit geschlossenen Augen Tee. Lisa machte Rita noch einen Wodka, drehte die Musik ab und schob das Video mit Tina Turner und David Bowie rein. Alle guckten hin, und plötzlich fing Mascha an, von ihren Ängsten und verlorenen Träumen zu reden, und der kleine Dichter wachte auf und zeichnete lallend ein düsteres Szenario der Welt, und der Kranke sagte: «Was ihr für Sorgen habt, ich leb vielleicht noch drei oder vier Jahre und bin froh über jeden Teller Suppe, den ich noch essen kann, ohne mich von oben bis unten vollzusauen.»

Danach hatten sie so lachen müssen, daß sie fast von den Stühlen fielen, und der Kranke lachte auch und schrie: «Hört auf, wenn ich lache, tun mir alle Knochen weh, ich darf nicht lachen! Was ist denn bloß so komisch daran, daß ich in drei Jahren tot bin?»

Max war gekommen, hatte sich ans Klavier gesetzt und gespielt, und es war ganz ruhig und friedlich gewesen, und ein

Joint wanderte rum, ganz wie in den alten rührenden Zeiten, als wir noch keine anderen Sorgen hatten, als ein bißchen zu kiffen. Ritas Atemlosigkeit wich, sie wurde weich und ruhig und dachte: Ich habe noch nie so geliebt wie in diesem Augenblick, dabei weiß ich nicht mal, wen.

Gegen halb drei klingelte das Telefon, und Lisa nahm ab. «Es ist Pit», sagte sie und hielt den Hörer zu, «er will mal wieder aus dem zwölften Stock springen.»

Der kleine Dichter nahm das Telefon und sagte: «Pit, mach keinen Quatsch, ich nehm mir jetzt ein Taxi und komm bei dir vorbei, okay?» Und dann hörte er noch einen Moment zu und sagte: «Weißt du was, verarschen laß ich mich nicht», und legte auf. «Wenn ich schon komme, sagt Pit, soll ich Pommes, Gyros und fünf Flaschen Bier mitbringen», erklärte er uns, und wieder lachten wir uns halbtot, und der Kranke rief: «Der Trick ist super, den muß ich mir unbedingt merken!»

Der Hund war endlich müde geworden und schlich neben Rita her, als sie jetzt den Weg zurück ins Tal einschlug. Sie mußte schließlich irgendwann wieder nach Hause, konnte nicht immer vor dem Anblick dieses Briefes weglaufen. Es war der letzte in einer langen Reihe von Briefen, manische Schreiber sie beide. Jeden zweiten Tag hatten sie sich in den vergangenen drei Jahren geschrieben, über Bücher und Filme, Musik, Beobachtungen, Menschen, über Träume und Pläne und das, was im Kopf und auf der Straße passiert, und immer wenn ein Brief von ihm kam, hatte ihr Mann gelächelt und gesagt: «Du und dein Max.»

Einmal hatte Max sie richtig geküßt, da saßen sie zu dritt in einem Biergarten, und er hatte eine häßliche Freundin bei sich, die er mit einem Kuß kränken wollte. Er hatte sich über den Tisch gebeugt, Ritas Kopf in seine Hände genommen und sie lange und fest geküßt, nur um seine Freundin zu ärgern, aber Ritas Herz hatte geklopft und es hatte ihr gefallen.

Manchmal waren sie am Rhein spazierengegangen und hatten sich Dinge erzählt, die niemand sonst von ihnen wußte, sie hatten auf die Schiffe geschaut und sich leicht und schnell gefühlt. Doch, es war eine Liebesgeschichte gewesen. Eine ohne Bett. Aber er hatte das nicht verstanden und ihr diesen Brief geschrieben. Zu Hause matschte Rita dem Hund sein Futter aus Fleisch, Gemüse und Haferflocken zusammen und legte den Kopf auf den Brief, der vor ihr auf dem Tisch lag. Ihr Mann kam herein und fühlte ihre Stirn. «Krank?» fragte er, und: «Fieber?»

«Nein», sagte Rita, und sie machte das Fenster weit auf und ließ ihre Liebe hinausfliegen. «Dieser Frühling ist ein Frühling der aufgerissenen Fenster», sagte sie zu ihrem Mann, aber der hatte sich eine Pfeife angezündet und saß schon wieder an seiner Arbeit.

Nach einem halben Jahr lag im Briefkasten ein Umschlag mit seiner schönen Schrift.

«Rita», schrieb er, «Du kennst mich, immer zu schnell, zu heftig, zu endgültig. Natürlich ist nichts vorbei. Schreib schnell, Dein Max.»

Noch an diesem Abend schrieb sie an Ilse, daß dies der Frühling der aufgerissenen Fenster sei, und da fliege nun einiges raus, was schon lange angestaubt auf wackligen Beinen rumgestanden hätte, «so auch unsere Freundschaft, liebe Ilse, die nie eine Freundschaft war, leb wohl, Rita». Erst zwei oder drei Jahre später traute sie sich wieder in die Kneipe, und Lisa sagte: «Du hättest ruhig früher kommen können, dein Max verkehrt hier nicht mehr. Er hat geheiratet und ist ziemlich dick geworden, und weißt du, zwei Kinder hat er auch.» Sie tippte sich an die Stirn und zapfte Rita ein Bier. Es lief

«Heartattack and vine» von Tom Waits, und Lisa erzählte, daß der Kranke jetzt im Rollstuhl sitze und Essen auf Rädern kriege und die Treppe nur noch runterkomme, wenn ihn jemand trage. Pit war tatsächlich doch noch aus dem zwölften Stock gesprungen, und der kleine Dichter war endlich auf Entzug. Mascha war mit irgendeinem Typen nach Ibiza gezogen, angeblich hatte sie Aids, aber das wußte niemand so genau, und der experimentelle Musiker spielte jetzt mit Brian Eno zusammen und hatte endlich Erfolg.

Am Ecktisch saß der egozentrische Musiker und sagte: «Hey, Rita, hab ich dir schon erzählt, wie ich den Brasilianern mal beigebracht habe, was Tango ist?»

Und Rita sagte: «Nein, erzähl.»

Winterreise

Lieber Alban,
ich bin hier in Wien, in diesem bitterkalten Januar, weil ich vor dir geflohen bin, so weit wie möglich. Hier kannst du mich nicht erreichen und nicht verwirren mit deinen hellen Augen, deinem langen Haar und deiner selbstbewußten Jugend. Dies ist eine böse, alte traurige Stadt, und ich bin eine böse, alte traurige Frau, die ihre Ruhe haben möchte vor schönen Kindern wie dir. Was hast du angerichtet, Alban? Ich war so entzückt, als ich dich zum erstenmal sah, ich war mehr als entzückt, ich war außer mir vor Leidenschaft für deine Schönheit. Du trugst ein grünweiß gestreiftes Hemd und helle Hosen, deine Haut war bronzebraun, du hattest beide Hände hinter dem Kopf verschränkt und hieltest dein Gesicht mit dieser hohen, geraden Stirn in die Sonne. Ich schaute dich an, und in dem Moment öffnetest du die Augen, sie waren hellgrau und dein Haar war goldfarben, und du lächeltest und botest mir mit einer Handbewegung an deinem Tisch in der Sonne einen Platz an. Alle anderen Tische waren besetzt. Ich setzte mich neben dich, und du schlossest deine Augen wieder und ich fürchtete, mein Herz würde zu laut schlagen. Ich bestellte mir einen trockenen weißen Wein und du dir noch einen Espresso, und wir lächelten uns zu. Als Kind hatte ich ein Buch über griechische Götter, die Götter

sahen aus wie du. Aber sie bewegten sich nicht mit deiner Anmut, ich hätte immer nur sitzen und dir staunend zuschauen mögen, aber du zahltest, standest auf und fuhrst mit deinem Fahrrad davon.

Ich bin gestern abend spät hier angekommen, ein Freund hat mir seine Wohnung zur Verfügung gestellt. Es muß sein, Rudolf, habe ich ihm am Telefon gesagt, ich muß ein paar Wochen ganz allein sein, glaub mir, es geht um Leben und Tod. Rudolf spielte in München Theater, und seine Wiener Wohnung stand leer, und für Dramen, in denen es um Leben und Tod ging, hatte er viel Verständnis. Erzähl, hatte er gesagt, aber was hätte es zu erzählen gegeben? Daß ich jeden Tag wieder in das Café ging, nur um dich zu sehen? Und tatsächlich warst du immer da, oft umgeben von Freunden, manchmal allein, wir nickten uns zu wie alte Bekannte, und ich wurde dein Bild in meinem Kopf nicht mehr los. Jemand rief dich: Alban!, und so bekam die Schönheit einen Namen.

Ich mußte lange klingeln gestern abend bei der Hauswartin, die Rudolfs Schlüssel hatte. Jaja, brummte sie, der Herr Rudolf habe durchaus Bescheid gegeben, aber man komme spät, und natürlich sei die Wohnung nun kalt, man heize schließlich nicht ins Ungefähre, Stiege vier, dritte Tür, und immer gut abschließen!

Rudolfs Wohnung ist ein unglaubliches Durcheinander von alten Möbeln, schönen Bildern und Plunder wie unzähligen indischen Kissen und Stapeln alter Theaterprogramme. Ein Kronleuchter hoch oben an der Decke mit bunten Glühbirnen gibt ein abscheuliches Licht, das Bett ist riesig groß und viel zu weich und tief, es gibt keinen Schreibtisch. Es ist so kalt! In der Küche muß man einen Gasboiler aufheizen, der gefährlich brüllt und tobt, und dann wird es ein kleines bißchen wärmer, aber am ersten Tag habe ich mir einen Topf mit heißem Wasser, in eine Decke gewickelt, unter die Bettdecke gestellt, um warme Füße zu bekommen. Und ich lag im Dunkeln dieser fremden Wohnung mit Gerüchen und Geräuschen, die ich nicht kannte, in einer Stadt, in der ich nie zuvor gewesen war, nur um von dir weg zu sein, Alban.

Am vierten oder fünften Tag hast du dich zu mir gesetzt, und wir haben uns über Musik unterhalten. Du seist Pianist gewesen – gewesen? fragte ich, du bist doch höchstens fünfundzwanzig. Vierundzwanzig, hast du gelacht, aber das Klavierspielen vor Leuten würde dir keinen Spaß machen, die Konzerte, die schwarzen Anzüge, das feierliche Getue, du würdest nur noch für dich spielen und hier und da ein paar Jobs annehmen, irgendwas, manchmal als Musiker, meist Aushilfsjobs in Kneipen.

Ich war fast doppelt so alt wie du und hatte gerade mit dem Klavierspielen angefangen. Ich möchte irgend etwas von Schubert selbst spielen können, erzählte ich dir, ein bißchen verlegen, aber du fandest das nicht sentimental, sondern ganz wunderbar und wolltest mir sofort Unterricht geben. Ich war darüber tief erschrocken, denn du hattest schon soviel Unruhe in mir ausgelöst – noch mehr Nähe hätte ich gar nicht ertragen können. Du warst einfach zu schön, Alban, ich weiß nicht, wie ich dir das erklären soll. Du warst perfekt. Du warst jung und wunderbar und fröhlich, du zeigtest mir alles, was ich für immer verloren hatte, es wurde mir unerträglich, in deiner Nähe zu sein.

Es war aber auch unerträglich, ohne deine Nähe zu sein. Nachts setzte ich mich auf mein Fahrrad und fuhr zu deinem Haus. Ich lehnte meine Stirn an die Hauswand und fühlte dein Herz hinter der Mauer klopfen und konnte mich nicht mehr losreißen. Jemand hatte mich gefragt: Ist Ihnen nicht gut? Und ich war erschrocken aufgewacht, ich war, auf meinem Rad sitzend, an deine Wand, an dich gelehnt, eingeschlafen.

Mein erster Morgen in Wien lenkte mich so ab, wie ich es mir gewünscht hatte. Ich mußte einkaufen – wohin geht man für Milch, für Brot – rechts die Straße hinunter, links? Wo ist die Post, wo der Briefkasten? Wo kann ich einen Stadtplan kaufen, bin ich weit vom Zentrum oder nah? Wo kann man frühstücken, und wie kommt man mit österreichischen Schillingen zurecht? Welche Zeitung liest man hier?

Fast habe ich dich vergessen können, aber in dem schmuddeligen Café, in dem ich landete, groß wie ein Bahnhof, mit blinden Spiegeln, einem schmutzigen Billardtisch und einer gähnenden Kellnerin mit gelben Haaren und schadhaften Zähnen bekam ich plötzlich eine solche Sehnsucht nach dir, nach deiner gelassenen Art, strahlend einen Raum zu betreten und ihn auszufüllen mit Lebensfreude und Kraft, daß ich mich ganz elend fühlte und weinen mußte. Ich trank einen Milchkaffee, und in der Musikbox sang Falco, der neulich in einem Interview gesagt hatte: «Wir sind immer vorn, und wenn wir hinten sind, dann ist eben hinten vorn.»

Man liest hier die Kronenzeitung, Alban, und es ist seltsam, wenn man keinen der Namen kennt, die darin stehen. Ich saß an meinem ersten Morgen in Wien vor einer nichtssagenden Zeitung, voller todestrauriger Verlassenheit, starrte auf die Zeilen und dachte: Alban, Alban.

Meine Einkäufe lenkten mich ab. An einer Straßenkreuzung erinnerte mich ein Schild an dich. Auf dem Schild stand: «Bitte führen Sie Blinde über die Straße.» Du hättest nicht geruht, bis du einen Blinden gefunden und herübergeführt hättest. Befehl ist Befehl! hättest du gesagt und gelacht. Ich kenne dich nur lachend – bis auf dieses eine Mal, vor dem ich so weit geflohen bin, hierher, in diese tiefverschneite

Stadt, in der es heute minus 22 Grad hat. Mein Herz ist noch kälter. Die Häuser sind hoch und alt, und ich habe das Gefühl, irgendwo hinter den Gardinen steht der Kaiser Franz Joseph und schaut mißgestimmt auf seine Wiener, auf die vielen Hundehaufen und die verbitterten Rentner, die schnöseligen Jünglinge und die keifenden Weiber und würde gern noch mal ein wenig regieren und alles anders machen.

In meiner Straße – jetzt ist es schon meine Straße – gibt es ein Möbelgeschäft mit Namen Kazbunda, eine Pferdemetzgerei und ein «Därmegeschäft Zeppelzauer», was immer das sein mag. In Australien, sagte das Radio, sei eine andauernde Hitzewelle mit über 40 Grad, die Haie würden zu frech und hätten schon einige Schwimmer angegriffen. In Wien dagegen seien in den letzten Tagen zwölf Menschen erfroren, die meisten davon auf dem Heimweg vom Gasthaus, wie mitleidlos vermerkt wurde. Im Café Demel steht noch die Weihnachtskrippe im Fenster, allerdings mit rosa Pudeln aus Zuckerguß statt mit Ochs und Eselein.

Eines Tages hattest du mir vorgeschlagen, zusammen einen Ausflug zu machen. Wir sind mit dem Schiff über den Rhein gefahren, und ich habe die ganze Zeit darüber nachgedacht, ob es etwas Wunderbares oder etwas Peinliches war, was mir da passierte. Da stand ich nun so in Flammen, nach meinen vielen Liebes- und Ehegeschichten kam leichtfüßig ein schönes Kind wie du daher und brachte alles ins Durcheinander, was ich in meinen Gefühlen schon geordnet und beiseite gepackt hatte.

Es war ein kostbarer Ausflug. Wir haben Wein getrunken und gesungen «Ich weiß nicht, was soll es bedeuten, daß ich so traurig bin», als das Schiff die Loreley passierte, aber wir waren nicht traurig, wir lachten und hatten uns die Arme um die Schultern gelegt. Mutter und Sohn? Was mögen die Leute gedacht haben? Du fühltest dich wohl in meiner Gegenwart, und ich, ich liebte dich so albern und lächerlich, wie Gustav von Aschenbach sich in Venedig am Knaben Tadzio zu Tode liebte.

Auf dem Flohmarkt habe ich mir eine Tasse gekauft, auf der steht: «Die Kohlen sind ein theures Guth, drum brenn sie nicht aus Übermuth», und ein altes Briefsiegel mit deinen Initialen – A. V. Ich weiß nicht, was ich damit will, aber ich schaue es immerzu an und presse es fest auf meine Hand, dann schneiden sich die Buchstaben A. V. ins Fleisch ein und bleiben eine Weile sichtbar. «Ja zum Analverkehr!» steht auf der Wand, auf die ich immer schaue, wenn ich das Haus verlasse, und nebenan ist eine Weinhandlung, die in Stein gemeißelt über dem Portal mitteilt: «Unsere Weine sind kostbar.»

Im Stephansdom habe ich eine Kerze angezündet und mich dann im Café Schwarzenberg aufgewärmt. Ein Mann spielte scheußlich perlende Walzer auf dem Klavier, und dazu ertönte eine Geige, obwohl gar kein Geiger zu sehen war – die Geigentöne kamen aus einem kleinen elektrischen Kasten. Über den Schubertring, vorbei am Beethovenplatz, durch die Mahlergasse, Kantgasse, Fichtegasse bin ich in mein seltsames Zuhause geflohen und habe das Radio angemacht. Ein Mann sang: «Was den Sonntag erst zum Sonntag macht, das ist der Gugelhupf, das ist der Gugelhupf.» Doch, Alban, natürlich hätte ich mir eine Liebsgeschichte zwischen uns beiden vorstellen können. Aber nicht so. Nicht mit diesen mehr als zwanzig demütigenden Jahren dazwischen. Jetzt wollte ich einfach nur ab und zu in deiner Nähe sein und mich anstecken lassen von dir, ja, ich fühlte mich neben dir auch schöner und jünger, du hast genug gestrahlt für uns beide, und dein unbekümmertes Flirten hat mir Spaß gemacht, noch.

Es schneit. Die Möwen fallen mit angefrorenen Flügeln

vom Himmel, Eiszapfen an den Schnäbeln. In Paris gibt man nachts die U-Bahnschächte für die Penner zum Schlafen frei, so einen Winter hat Europa lange nicht erlebt. Mir fällt aus «Die letzten Tage der Menschheit» die Szene ein, in der die Kinder die Mutter um Essen anbetteln, und die Mutter verweist auf den Vater, der seit fünf Stunden unterwegs ist, um etwas zu besorgen. Schließlich kommt der Vater, und die Kinder schreien: «Vater, Brot, Brot!» Der Vater aber streckt ihnen die leeren Hände entgegen, lacht und ruft: «Kinder! Wunderbar! Rußland verhungert!» Ich habe dich nie im Winter gesehen, kenne dich nicht mit Pullovern, hochgezogenen Schultern, in dicken Mänteln. Du bist der Sommer, dieser eine Sommer, den wir hatten und in dem ich in deiner Nähe herumstreunte, um deine braune Haut, deine weißen Hemden von weitem zu sehen.

Im Fernsehen ist eine Sendung über Glenn Gould. Weißt du noch, wir haben uns ausgemalt, daß im Himmel, falls es einen Himmel gibt, Gott zu Füßen von Glenn Gould sitzt und ihm zuhört. Falls Gott Ohren hat zu hören. Ich gehe durch Wien, als ginge ich mit dir, Alban. Hier wohnte die Bachmann, da wohnte Mozart, der nur wenig älter geworden ist als du und der nicht aufgegeben hat, vor Höflingen zu spielen. Ich muß dir etwas gestehen, Alban – schon sehr früh habe ich über dich gedacht: Charakter hat er nicht. Wer die Musik so mit leichter Hand wegwirft wie du, was ist das für ein Mensch? Du warst nie wirklich ernst, du hast nichts gelesen, du warst niemals pünktlich, du trinkst zuviel und schon zu früh am Tag – ich habe sehr bald gesehen, daß deine Anmut, deine sanfte Schönheit, deine atemberaubende Gelassenheit und Geschmeidigkeit, daß das alles vielleicht nur noch diesen einen Sommer dauern würde. Ich bin davon überzeugt, daß ich recht habe. Du wirst schnell gewöhnlich werden wie alle, aber in diesem Sommer hattest du die Aura des Unsterblichen um dich. Es ging etwas Blühendes und Mitreißendes von dir aus, und es riß mich mit – auch ich war in diesem Sommer noch einmal fast jung, fast schön, ganz gewiß sehr glücklich mit dem wehen Ziehen, das das Glück bekommt, wenn man weiß, daß es ja gar kein Glück gibt.

Durch den tiefverschneiten Burggarten bin ich zum Kunsthistorischen Museum gelaufen und habe mich in den bahnhofsgroßen Sälen erschlagen lassen von Tiepolos, Tizians und Tintorettos, von Engeln, Jesusknaben und Göttergetümmel, und niemand auf den Bildern sah aus wie du, dabei gehört dein Gesicht in dieses Land Italien und in diese Jahrhunderte.

Ich würde dir gerne in Saal X Breughel zeigen, dir, der du sicher flach hinschaust auf ein Bild und es gut oder nicht gut findest. Du müßtest sehen, wie die Steinmetze vor einem König auf den Knien rutschen, vor ihm, dessen seidigen Händchen man ansieht, daß er noch nie im Leben gearbeitet hat, dagegen *ihre* Hände! Du müßtest die Kreuztragung Christi sehen, die bei Breughel natürlich in den Niederlanden stattfindet, auf Golgatha steht eine Windmühle. Man muß suchen, ehe man den Christus unter all den wimmelnden Bauern und Handwerkern und Geschäftsleuten findet, und dann stellt man fest: nicht einer schaut zu ihm hin! Sie sind beschäftigt, und er trägt zwischen ihnen, unbeachtet, sein Kreuz, kein Mensch hat Zeit und Lust, sich das anzusehen, und der einzige, der Jesus ansieht, ist der Landsknecht mit der Lanze, der ihn in die Seite stechen wird.

Weißt du, Alban, wenn wir beide die ersten und einzigen Menschen auf der Welt wären – was für eine Liebe könnten wir leben! Aber ich schleppe meine Geschichte mit herum, und du gibst dir schon mit vierundzwanzig Jahren keine Mühe mehr, du hast bemerkt, daß du schön bist, du denkst, das genügt. Weißt du noch, wie wir zu Abend gegessen haben, und der alte Mann hat Harfe gespielt? Er hat dich angesehen mit demselben Blick wie ich dich ansah, und seine und meine Augen trafen sich, und wir verstanden uns voller Wehmut: was für ein schönes Kind! Wie lang war das alles her für ihn und mich, und wie bald wird es vorbei sein für dich!

Ich war in der Oper, natürlich in «La Traviata». Ich bin Geschichten wie der unsern auf der Spur, Alban, sie alle sollen mir beweisen, daß eine solche Liebe nicht möglich ist. Es gibt keine Chance für Violetta und Alfredo, und bestimmt hätte ich wieder geweint, wären nicht hinter mir zwei unglaubliche Wiener Damen in Goldbrokat gesessen und hätten getuschelt: «Ja, der Carreras, mehr wie singen kann er halt nicht!» In den gefährlichsten Momenten rettet uns immer Trivialität. Als du mich küssen wolltest nach diesem Abendessen, fiel mir in dem Augenblick ein Ohrring hinunter, wir bückten uns gleichzeitig, stießen mit den Köpfen zusammen und lachten. Ich wollte dich nicht küssen, Alban, ich wollte dich anstarren und dich lieben, am liebsten hätte ich dich unter Glas gesetzt, damit du nicht so rasch verdirbst.

In der Kirche zur heiligen Maria von den Engeln wischte ein alter Mann den Kachelboden, als ich mit meinen drecktriefenden Stiefeln aus dem Tauwetter hereinkam. Ich zögerte an der Tür, aber er sagte: «Kommens nur, dem lieben Herrn Jesus macht das nix, der schaut eh ins Herz und nicht auf die Füß.» Ich wünschte, du wärest ein Mensch, dem ich all so etwas erzählen könnte, Alban, aber das bist du nicht. Du bist oberflächlich und flüchtig und hörst nicht zu, und es hat dir gefallen, mich zu verwirren. Als ich das merkte, hast du mich nicht mehr verwirrt. Je weiter ich innerlich Abstand von dir nahm, desto näher bist du mir gerückt. Jetzt plötzlich wolltest du mich haben, oh, mein Gott, weil du alle haben wolltest, weil alle dich haben wollten, weil es nichts anderes bedeutete als einen weiteren Sieg.

In Wien gibt es wohl keinen Zentimeter Boden, auf dem nicht schon Blut geflossen ist. Selbst in den Kirchen militärische Votivtafeln: «Zur Erinnerung an das k. u. k. reitende Artillerieregiment und seine Toten 1850-1918», «Dem Andenken des k. u. k. Dragonerregiments Kaiser Franz No. 1 und seiner Gefallenen 1768-1918», «In treuem Gedenken an das Ulanenregiment Nr. 1 und seine Toten 1791-1918». Den Nobelpreis für Schwermut, Niederlage, Tristesse an diese Stadt Wien! Ich bin froh, hierhergereist zu sein, wie hätte ich nach diesem Sommer mit dir etwas Heiteres ertragen können.

Was tue ich den ganzen Tag? Ich spaziere durch die kalte Stadt, wärme mich ab und zu in einem Café auf, besuche Kirchen, Museen, denke nach, denke nicht nach. Einmal, im Spätsommer, hatte ich ein solches Verlangen danach, dich nur zu sehen, daß mir – es war mitten in der Innenstadt – die Tränen vor Qual in die Augen schossen, nur einen Blick auf ihn, dachte ich, nur sehen, wie er sich bewegt – und im selben Augenblick kamst du engumschlungen mit einem jungen Mädchen aus einem Modegeschäft. Ich zog dich mit den Augen in mich hinein, ich sah mich satt und gesund, nein, das junge Mädchen störte mich nicht, ich bin nicht eifersüchtig, will nichts von dir, außer daß es dich gibt, so gibt, wie du in diesem Sommer warst. Jetzt, Alban, interessierst du mich schon nicht mehr. Du warst die heftigste, die leidenschaftlichste und die kürzeste Liebe meines Lebens. Vielleicht auch die letzte, darüber denke ich nicht nach.

Bei klirrender Kälte ist der Wiener Zentralfriedhof ein

großer stiller Park, durch den die Hasen huschen. Einmal im Jahr wird der Friedhof für die Angehörigen geschlossen und für die oberen Tausend zur Jagd freigegeben – dann ist es aus mit der Totenruhe, und Hasen, Fasane, wilde Katzen und Rehe werden geschossen. Ich war auf dem jüdischen Friedhof und sah an Schnitzlers Grab ein Reh stehen. Es schaute mich ernst und furchtlos an, ich hätte es gern gefüttert, aber ich hatte nur einen Arm voller verschneiter Blumen, von allen frischen Gräbern zusammengestohlen, die ich dem bringen wollte, dem sie zustehen – Schubert. Ich stand lange vor seinem Grab und sang mir und ihm alles vor, was ich noch auswendig wußte, und da hätte ich dich gern neben mir gehabt, deine Hand in meiner Manteltasche, deinen Mandelduft, deine Stimme, die mit mir singt. Ich bin romantisch, ja, aber nicht so romantisch, Alban, daß ich deine Liebesschwüre geglaubt oder auch nur gewollt hätte. Ich war entsetzt und erschrocken über deinen Ausbruch im Konzert, als du plötzlich während der Musik deine Hand auf mein Knie legtest und sagtest: «Jetzt kannst du nicht weg und jetzt hörst du mir zu. Ich liebe dich. Es ist mir egal, wer wie alt ist, ich liebe dich.»

«Unser Herrgott ist der Stärkste!» steht auf einem schwarzen, sonst völlig leeren und unverzierten Grabstein, es sieht aus, als wäre hier ein Punker begraben. Marie Anzengruber, des Dichters Mutter, liegt nicht weit davon und läßt das Geratter der Linie 71 auf der Simmeringer Hauptstraße alle zehn Minuten über sich ergehen. Der Dichterfürst selbst prangt am Hauptweg, futtersuchende Raben auf dem Marmorkopf seiner Statue.

Zwei Frauen standen vor einem Grab mit der Inschrift «Hier ruht in Frieden Herr Anton Schreiber K. K. Verzehrungssteuerlinienoberamtsverwalter i. P. 1839–1901». «Jaja», sagte die eine, «wos is der Mensch? Goa nix.» Und die andere fügte hinzu: «Mancher meint wer weiß wasser is und hat am Ende doch auch nur a Grabstöll.»

Der Besuch auf dem Friedhof, wo alle Liebe ein Ende findet, mögen die Dichter auch das Gegenteil behaupten, hatte mich wieder aufgemuntert, und so habe ich mir abends im Burgtheater eine unsägliche Posse angesehen, in der Paula Wessely als «die Hoffnung» aus dem Bühnenboden gefahren kam und ein paar pathetische Sätze sagte, nach jedem schnell wieder ihr Gebiß festzurrend. Durch mein geliehenes Opernglas made in USSR sah ich ihr abgelebtes Gesicht, und am Ende des Stückes sangen alle «Der kleine Liebesgott treibt mit uns allen Scherz, kaum trifft er uns ins Herz, da fliegt er fort, der kleine Schelm».

Ich fange an, dich zu vergessen, Alban. Ich werde wieder fröhlich. Ich habe mich in diesem Sommer noch einmal so verliebt, wie man es eigentlich nur kann, wenn man ganz jung ist, aber ich bin nicht darauf hereingefallen. Ich habe dir nicht geglaubt. Ich bin rechtzeitig gegangen. Gerade noch.

Im Fernsehen sah ich nach Jahren wieder Fellinis «Amarcord», auch ein Film, den man erst versteht, wenn man älter wird und die Dinge eine andere Wertigkeit bekommen haben. Aurelio und Miranda, die Eltern, sitzen beim Frühstück, und Aurelio sagt: «Jedesmal wenn ich ein Ei sehe, könnte ich es stundenlang betrachten, und ich frage mich, wie die Natur etwas so Vollkommenes schaffen konnte.» Und Miranda sagt sanft: «Aber die Natur hat ja auch *Gott* gemacht, Aurelio, und nicht so ein Dummkopf wie du.»

Ich möchte mit einem Aurelio alt werden, Alban, nicht mit einem Götterliebling wie dir. Ich möchte alt werden. Ich möchte nicht mehr jung sein mit dir, das hat dieser Sommer mich gelehrt. Und wie still Aurelio dasitzt und mit seiner Hand über das Tischtuch streicht, als Miranda tot ist... das ist Liebe, Alban, nicht dein heißer Atem. Nicht deine Tränen, deine Briefe, dein Kampf um eine Frau, zum erstenmal, du, dem doch alle Frauen zufliegen. Und diese hier, von der du spürst, daß sie dich liebt, die will nicht? Gelacht. Böse hast du ausgesehen, böse, brutal und dumm, und du konntest nicht begreifen, daß es Liebe gibt, die nicht erwidert werden darf.

Im Metropoltheater traten Künstler im Rahmen des Volksbegehrens gegen die Zersiedlung der Au und das Wasserkraftwerk bei Hainburg auf. Die Aubesetzer kamen, die sogar in diesem eisigen Winter draußen ausgeharrt hatten, und sie kamen ins überheizte Theater mit ihren Parkas, peruanischen Pullovern mit Tiermotiven und Ohrenklappen, gefeiert als die letzten Helden mit Jutetaschen und Zipfelmützen, Vollbärten und weisem Lächeln. Sie tranken aus jedermanns Gläsern und ließen sich verehren. Ich habe sie um ihr Engagement beneidet. Ich kann mich außer über mich selbst über nichts mehr wirklich aufregen.

In der Neuen Galerie in der Stallburg hängen an rissigen Wänden in verwahrloster Umgebung Wiens schönste Bilder – stille braune Landschaften von Caspar David Friedrich, in die ich klein hineinspazieren möchte, um in der Ferne zu verschwinden, eine präraffaelitische Medea von Anselm Feuerbach und zwei Selbstbildnisse von ihm – das eine zeigt einen mürrischen Hitzkopf mit einer Warze an der linken Wange, das andere einen schönen Künstler mit Zwirbelbart, glimmender Zigarette und vorteilhaft von rechts gemalt, ohne Warze. Beide Bilder hängen widersinnig weit auseinander, man kann sie nicht recht vergleichen, was doch gerade das Vergnügen daran wäre. Hier hängen von Max Slevogt Szenen wie aus Dramen von Schnitzler, hier hängt van Goghs Selbstbildnis mit den stechenden Augen und das grüngrüne

Bild mit den roten Mohntupfern, die «Ebene bei Auvers», und hier hängt der Segantini, nach dem ich so lange gesucht habe: «Die bösen Mütter». Eine weite Hochebene, Schnee, dunkelblaue Schattenberge, ein paar Gipfel in der Sonne. Auf dem Schneefeld ein Baum, der sich im Wind biegt, man sieht förmlich, wie kalt der Wind ist, und eine Frau mit nackter Brust verfängt sich mit einem Schleier aus Haaren in den Ästen, ein Kind liegt ihr an der Brust, sie hält es aber nicht. – Das ist ein Thema aus einer buddhistischen Legende: Kindsmörderinnen müssen, über Schneefeldern schwebend, ihre toten Kinder säugen.

Das Bild tat mir weh, und an diesem Abend habe ich mich mit einem Maler eingelassen, den ich im Hawelka kennenlernte, er hieß Edmond und sprach unentwegt von seinen verschiedenen Schaffensperioden. Die Bilder, die er mir in seinem Atelier zeigte, gefielen mir nicht, aber Edmond hatte schöne Hände, und ich blieb zwei Tage und zwei Nächte bei ihm – jetzt wüßte ich nicht einmal mehr die Adresse, den Nachnamen habe ich ohnehin nie erfragt.

Du wolltest, daß ich bei dir bliebe an dem Abend nach dem Konzert. Was hast du dir dabei gedacht, Alban? Eine Eroberung zu machen? Einen Sieg zu erringen? War ich mit vierundzwanzig auch so sorglos und so von mir überzeugt? Ja, wahrscheinlich. Aber Liebe, Alban, fliegt im Bett davon, das wirst du noch merken. Ich will dich nicht haben. Ich will dich nicht einmal mehr sehen. Du sollst schön bleiben für mich.

Wenn man sich im Schneeregen über die Wollzeile bis zum Alten Rathaus durchgekämpft hat, findet man in der Wipplingerstraße, Stiege III, das Museum des österreichischen Freiheitskampfes. Für eine kleine, erschütternde Ausstellung wurden liebevoll Exponate aus Österreichs Widerstand gegen den Faschismus zusammengetragen. Flugblätter, illegale

Druckpressen, in Toilettenschränkchen eingebaut, Aufkleber, Plakate, Zeitungen, Photos – und die grausigen Dokumente aus dem KZ Mauthausen: winzige Handarbeiten von Frauen, Büchlein in Herzchenform mit gestickten Sprüchen von Friedrich Engels: «Freiheit ist Einsicht in die Notwendigkeit»; Schachfiguren aus Brot, Ringe aus Zwirn, geheime Glückwunschkarten für Lagerinsassen, die Geburtstag hatten. Alban, wir sind ein kleiner Teil der Welt, du und ich, eingebettet in Geschichte, und unsere Geschichte ist die lächerlichste von allen.

An den Wänden zeigten Photos Österreichs berühmte Exilanten – Fritz Kortner, Fred Zinnemann, Max Reinhardt, Otto Preminger, Joseph Roth, Stefan Zweig, Lotte Lehmann, Richard Tauber, Oskar Kokoschka, Musil, Werfel, Schönberg, Horváth, Popper, Canetti, Bruno Walter – es nimmt kein Ende, und wäre dir der Brief an einen Standortpfarrer in Wien I aufgefallen, Alban? Morgen früh. 7.2.45 um 4.30 Uhr, werde er abgeholt, es fänden neun Exekutionen statt, für die man anderthalb Stunden Zeit hätte. Falls er es allein nicht schaffe, könne Hochwürden Wimmer bei den letzten Tröstungen helfen.

Der 7.2. ist dein Geburtstag, Alban, aber genau zwanzig Jahre später. In deinem Leben gab es keinen Krieg und keine Lager, keinen Hunger und keine Verfolgung. Du bist bei reichen Eltern aufgewachsen, der umschwärmte, hochbegabte Liebling, dem alles gelang, der alles bekam und alles wegwarf mit leichter Hand. Hier, in diesem Museum, wandelte sich meine Liebe zu dir in Abscheu, fast in Ekel, ohne daß du etwas dazukonntest – mein Widerwillen gegen dich ist so irrational und unbegründbar, wie meine Zuneigung zu dir es war. Es ist alles mein Problem, Alban, nicht deins. Schon hast du mit der Geschichte nichts mehr zu tun.

Ich war nicht der einzige Besucher in diesem kleinen Schreckens- und Überlebenskabinett. Gerade als ich gehen wollte, kam ein Herr im Pelz und fragte die Kassiererin: «Es soll doch Lampen aus Judenhaut gegeben haben, haben Sie so etwas auch?» Warst du mal in Wien, Alban? Geh in die Domgasse 5, wo Mozart gewohnt und den «Figaro» geschrieben hat. Geh durch den Hinterhof, die arme Treppe hoch, durchs kalte, nasse Treppenhaus in den ersten Stock. Ich weiß nicht, wie du wohnst, aber ich stelle es mir lichtdurchflutet, großzügig und elegant vor, dein Flügel steht wahrscheinlich mitten im Zimmer, und deine teuren Hemden werden auf dem Boden liegen. Ich wäre gern mal in deiner Wohnung gewesen, aber ohne dich.

Mozart bewohnte mit seiner Familie ein paar kleine, dunkle ineinandergehende Räume mit Holzdielen. Zwei Münzen werden ausgestellt: sie müssen ihm gehört haben, man hat sie zwischen den Dielenbrettern gefunden. Hätte er sich lieber Brot dafür gekauft! An der Wand hängt ein Blatt, Noten und Mozarts zarte feine Schrift dazu: «Dies Bildnis ist bezaubernd schön, wie noch kein Auge je gesehn, ich fühl es, ich fühl es, wie dies Götterbild mein Herz mit neuer Regung füllt.»

Unsere Geschichte verfolgt mich, Alban. Dieser Text, ausgerechnet, du Götterbild, das ich angestaunt habe. Aber ich habe keine Lust, durch Feuer und Wasser für dich zu gehen, Prüfungen für dich zu bestehen, ich will nur das Bildnis, ich will nicht den Gott dazu, die Götter sind so wenig dauerhaft, und die Königin der Nacht bin ich selbst.

Im Mai 1917 erhob sich Leo Bronstein in der Herrengasse von seinem Schachbrett, um als Trotzki die russische Revolution zu organisieren. Es ist nicht mehr das alte Café Central, aber es ist noch immer schön mit seiner hohen hellen Lichtkuppel, unter der allerdings die falschen Leute sitzen und nicht mehr Peter Altenberg, der die Frauen so liebte. Am Nebentisch saß ein junges Paar, und als ich ging, sagte er gerade verzagt zu ihr: «Aber warum denn?», und sie antwortete: «Du bist mir einfach zu langweilig.»

Am Abend bin ich in die Oper gegangen und habe mir ein Ballettgastspiel angesehen, ich, die für Ballett gar nichts übrig hat, aber weißt du, was mich interessierte? Rudolf Nurejew. Als ich ihn vor vielen Jahren – ich war selbst noch jung – das erste Mal sah, war es ein ähnlicher Eindruck wie bei dir, nicht ganz so stark, denn ich sah nur Photos von ihm, du warst leibhaftig: dieses wilde Gesicht, die hellen Augen, der sinnliche Mund, der kräftige, schöne Körper – ich war sehr erregt und heftig verliebt in Nurejew, und nun waren wir beide alt geworden, und er tanzte auf dieser meiner Winterreise, am 27. Januar, an Mozarts Geburtstag. Ich hatte einen guten Platz, und mein Herz zog sich traurig zusammen, als ich sah, wie er sich quälte, wie die Leichtigkeit dahin war, wie angestrengt er tanzte. Sein Haar lichtet sich am Hinterkopf, sein Gesicht ist noch wild, aber der Anblick eines herumspringenden siebenundvierzigjährigen Mannes in Strumpfhosen ist geradezu lächerlich. Und doch strahlt er immer noch Würde und Grazie aus, ich verstehe noch nach all diesen Jahren, daß ich so verliebt in ihn war – bei dir verstehe ich es nach drei, vier Monaten schon nicht mehr und frage mich: was war da? Und warum? Macht mich denn bloße Schönheit so krank? In den Straßen kommen mir unablässig Schicksale entgegen, und sie sind alle häßlich: zu dicke junge Mädchen, bittere Frauen, verlorene Männer, Menschen mit verkrüppelten Füßen und schweren Brillen. Ja, Schönheit macht mich lebenskrank, sehnsuchtskrank. Für Schönheit opfere ich Erfahrung und Verstand.

Vier Wochen war ich in Wien, und in der vierten Woche bin ich mit der U1 durch eine Betonröhre über die Donau hinweggedonnert und beim verlassenen Arbeiterstrandbad spazierengegangen. Bretterbuden, verfallene Gartenhäuschen, das ist die Gegend, in der man unentdeckt morden und sterben kann, und ich wollte jetzt nur noch einen einzigen Besuch in Wien machen, ehe ich zurückfuhr in meine Stadt, die auch deine Stadt ist.

Ich bin in die Kettenbrückengasse gefahren – eine Handwerkerstraße mit kleinen Läden, niedrigen dunklen Häusern, feuchten Wänden. Am Haus Nr. 6 hängt ein handbeschriebenes Stück Pappe: Schubert, 2. Stock. Als wohne er noch immer dort. Im zweiten Stock steht an einer Tür: Sterbezimmer. Schubert. Als ich klingele, es ist schon gegen 16 Uhr, dunkel, totenstill, tut sich lange nichts. Dann öffnet mir eine müde Frau mit nur einem Arm. Sie ißt ein Butterbrot und packt es hastig weg, als ich komme. Sie macht Licht, schließt die Tür und kassiert ein kleines Eintrittsgeld. «Schauns nur», sagt sie, «Sie sind die erste seit vierzehn Tag!» Drei winzig kleine Räume, ein paar Stiche an den Wänden, Vitrinen mit Noten. Eine Tafel erklärt, daß Franz Schubert hier am 1. September 1828 einzog, zu seinem Bruder Ferdinand, als «Trokkenwohner» – die Wohnung hatte kein Wasser, das reduzierte die Miete. Hier schrieb er die «Winterreise», hier starb er im November 1828, nur 31 Jahre alt, Alban, nur wenige Jahre älter als du. Verzeih, wenn ich das immer wieder denken muß, ich denke nicht, daß es mangelnde Radikalität ist, daß du noch lebst. Lebe nur. Werde alt und banal wie wir alle, deinen Göttersommer hast du gehabt. Dieser hier nicht. Nichts hat er gehabt, nur seine Musik. «Lieber Franz, ich bin krank», schreibt er an Franz von Schober, seinen einzigen Freund, am 12. November. Der Brief hängt hier. Sieben Tage später war Schubert tot, und auf seinen Grabstein haben ihm die verlogenen Wiener geschrieben: «Die Tonkunst begrub hier einen reichen Besitz, aber noch viel schönere Hoffnungen.» Jaja, Hoffnungen. Der Währinger Friedhof ist aufgelassen, es gibt kein Schubertgrab mehr, auf dem Zentralfriedhof, wo meine gestohlenen Blumen welken, ist nur eine Gedächtnisstätte. Ich dachte an Raffaels Grab in Rom, auf dem in lateinischer Sprache steht: «Hier ruht jener Raffael, auf den die Natur, als er noch lebte, eifersüchtig war. Nun, da er tot ist, weint sie um ihn.»

Die Götterjünglinge, die schön sind durch ihr Talent, durch eine Flamme, die in ihnen brennt. Du bist nur schön, Alban. Wer weint um dich?

Die Hüterin des Sterbezimmers seufzt und schaut aus dem Fenster in den Regen. «Schubert», sagt sie, «ausgerechnet Schubert, den ich gar nicht mag, mein Gott heißt Beethoven. Und wo sitz ich? Beim Schubert, tagaus, tagein.»

Ich gehe zu Fuß in meine seltsame Wohnung zurück, durch Schuberts Gasse mit dem Geschäft für Pferdemark, dem Tierpräparator mit seinen schaurigen Exponaten, dem Fleischselcher, dem Spezialhaus für Karniesen, was immer das sein mag. Hier gibt es den Fortissimo-Musikverlag, den Strick-Shop und den Südfrucht-Discount. Weiter unten, an der Wien, ein Haus in leuchtendem Rosa mit der Graffiti-Inschrift: «Erstes Wiener Schwulen- und Lesbenhaus». Ach, Schubert. Schreib im Vorübergehen ans Tor dir gute Nacht/ damit du mögest sehen: An dich hab ich gedacht. An dich hab ich gedacht.

Félix Nadar hat 1861 Pariser Katakomben photographiert – die ersten Photos bei künstlichem Licht, 25 Jahre vor der eigentlichen Erfindung der Photographie. Man konnte diese Bilder sehen, als ich in Wien war. Sie zeigen zum Teil Abwasserkanäle unter Paris, aber in der Mehrzahl schreckliche Gebilde aus Knochen und Schädeln – die ausgelagerten Gebeine früherer Friedhöfe, die Toten aus Gefängnissen, Kriegen und Revolutionen, zu Mauern getürmt oder zu grausigen Ornamenten geformt. Nadar hat Puppen in die Bilder gestellt und «arbeiten» lassen, einmal, um Menschengröße im Verhältnis zu diesen riesigen Knochenbergen zu zeigen, und zum andern Puppen deshalb, weil kein Mensch diesen Anblick ertragen hätte, und weil auch niemand zwanzig Minuten notwendige Belichtungszeit still hätte aushalten können – das können nur die Toten. «Mein Leben ist zerronnen wie das Wasser und alle meine Knochen sind zerstreut», stand unter einem der sepiabraunen Bilder.

Ich fahre getröstet zurück nach Hause. Alban, du erreichst mich nicht mehr, du schönes Kind unter all diesen Toten. Du bist unglücklich, du sagst, daß du mich liebst. Ich habe mit vierundzwanzig Jahren auch solche Dinge gesagt. Man vergißt sie. Die Liebe dauert immer nur einen Augenblick.

Das Herz kaum größer als die Leichenfaust

Lisa

Lisa war nach Norditalien in das Haus von Freunden gefahren, um eine Weile allein zu sein, nachzudenken und auf ihren Mann zu warten. Warten, ob er anrufen, ob er schreiben, ob er vielleicht sogar nachkommen würde, wie er es vage versprochen hatte, ja, darauf zu warten, ob eigentlich nach acht gemeinsamen Jahren noch Liebe, Sehnsucht, der Wunsch nach Nähe da war.

Das Haus war praktisch und sympathisch eingerichtet – die Dusche funktionierte, der Kamin zog gut, das Bett war nicht zu weich, und es war schön gewesen, ganz allein anzukommen und alles zu entdecken. Sie hatte es immer schrecklich gefunden, eine Wohnung zu betrachten, wenn die Besitzer daneben standen und sagten: «Hier haben wir eine Wand einziehen lassen» oder «Diese Vase hat Ute selbst getöpfert» oder «Da soll noch ein Sofa hin». Eine Wohnung erzählt genug über die Menschen, die in ihr leben, Lisa brauchte dafür keine Erklärungen. Die Versuchung, Richard anzurufen und zu sagen: «Ich bin da», war groß, aber noch größer der Wunsch, er möge anrufen und fragen: «Bist du da?»

Er rief natürlich nicht an. Lisa machte einen Spaziergang durch den Ort, der vom Hang oben, an dem das Haus lag, schöner aussah, als er wirklich war – die Häuser verfielen, rochen feucht, in den Durchgängen lag Abfall, magere Katzen huschten über die zerbröckelnden Treppen. Auf Plastikleinen hing buntgemusterte Wäsche, und durch die schmalen Gassen bretterten Jugendliche auf ihren schweren Motorrädern. Lisa überlegte sich, wie Jungen aus einem so armen kleinen Städtchen an so teure Maschinen kamen, die um die 10000 Mark kosteten und 200 Stundenkilometer fuhren. Wozu das alles? Um die Leute zu erschrecken, die Katzen totzufahren, abends etwas anderes zu sein als Monteur, Bäcker oder Koch? Der dicke Dorfpolizist stand rotgesichtig an der Ecke und schrie: «Fünftausend!», wenn wieder jemand ohne Helm angebraust kam, oder «Zwanzigtausend!», wenn zu schnell gefahren wurde, aber die Jugendlichen kümmerten sich überhaupt nicht darum und fuhren ab neun Uhr abends krachend von der Via Regina in die Via Militare und zurück durch die Via Roma, an ihm vorbei, der mit Block und Bleistift fuchtelte, Kennzeichen und Strafe in Lire notierte und am nächsten Tag doch völlig überfordert war, die Strafzettel auch wirklich auszustellen. Auf dem Sportplatz spielten die Väter dieser wilden Söhne, Bauarbeiter, Metzger und Holzfäller, am Abend Fußball unter Flutlicht, und in der einzigen Kneipe dröhnte die Musikbox und die Mädchen kicherten. Lisa sah das alles, war froh, nicht dazuzugehören und fürchtete sich doch insgeheim davor, den Kontakt zu den Menschen noch gänzlich zu verlieren. Sie zu ertragen wurde ihr immer schwerer, in Gegenwart von Menschen, die mit ihr reden wollten, brach ihr der Schweiß aus, richtig wohl fühlte sie sich nur allein. Allein oder mit Richard, aber der wich ihr in letzter Zeit immer mehr aus, war selten zu Hause, beachtete sie kaum und schien geradezu erleichtert, als sie ankündigte: «Ich fahre für eine Weile weg.» – «Tu das!» hatte er eine Spur zu rasch gerufen. «Das wird dir guttun, und wenn ich nicht mehr soviel um die Ohren hab, komm ich nach.» – «Wenn du mich liebst, wird alles gut», hatte sie geflüstert und sich an ihn gelehnt, aber sie wußte nicht, ob er sie liebte und was gut werden sollte.

Lisa räumte das Haus auf, das lange leergestanden hatte. Sie wischte die Spinnweben weg und fegte, sie bezog das Bett frisch, lüftete die Schränke und putzte die Spiegel blank. Im Garten pflückte sie letzte Rosen und stellte sie in ein schönes altes Preßglas vor sich hin, wenn sie abends auf den See blickte und Rossini oder Donizetti oder Verdi hörte. Es gab viel italienische Musik im Haus, die gut zur Gegend paßte. Eine scheue graue Katze kam in ihre Nähe geschlichen und fraß vorsichtig, was sie ihr in respektvoller Entfernung zu fressen hinstellte, und es war still und friedlich und Lisa dachte: Am schönsten wäre es, man könnte einfach die Luft für einen Augenblick anhalten und alles wäre vorbei.

Die Katze setzte sich in ihre Nähe und putzte sich, und im Radio sang die Callas. Lisa dachte daran, daß die Callas sich ein Grab neben dem Grab von Bellini hatte reservieren lassen, und Jahre später hatte sie es wieder abbestellt, weil es ihr nie gelungen war, Normas Sterbearie wirklich perfekt zu singen. Wo würde sie liegen wollen, sie, Lisa, wenn sie tot war? Neben Richard. Dann hätten sie endlich Zeit und Ruhe füreinander, und er könnte nicht dauernd weglaufen und hätte nicht hier noch einen Termin und da noch einen und dies noch und das noch. Sie würden daliegen im warmen Regen und wären endlich wirklich zusammen, so wie ganz am Anfang.

Es war Montag abend. «Wenn du kommst, dann nicht an einem Dienstag», hatte sie ihm am Telefon gesagt. «Dienstags bin ich auf dem Markt in Lenno.» Das mußte vor zwei?

drei? vier Wochen gewesen sein, und laut und fahrig hatte er gerufen: «O gut, daß du das sagst, werd ich mir sofort notieren, nicht dienstags.» Und dann hatte er noch hinzugefügt, im Moment könne er leider gar nicht weg, zuviel Arbeit, aber er würde selbstverständlich schreiben, und ob es ihr denn gutginge?

O ja, hatte sie geantwortet, sehr gut, ich lese viel, ich gehe spazieren, und er hatte gerufen: «So schön möchte ich es auch einmal haben!» Er hätte es jederzeit «so schön» haben können, aber er wollte es nicht. Ruhe war nichts für ihn, er brauchte Trubel, Leute, Gasthäuser, Bewunderung, Männer, die ihn geistreich und Frauen, die ihn anziehend fanden, er mußte das ununterbrochen in ihren Augen lesen, sonst hatte er keinen Boden unter den Füßen. Lisa war am liebsten allein und konnte stundenlang auf eine Landschaft oder in den Himmel starren. Sie mußte nicht reden, sie brauchte keine Menschen, sie sank in sich selbst hinein und hatte nur Sehnsucht nach einem einzigen Menschen, nach Richard, der die ganze Welt für sie war mit all der Unruhe, die er um sich verbreitete. Lisa hatte Richard ein paarmal geschrieben – über das, was sie las, Kleinigkeiten, die sie im Dorf beobachtet hatte, sie hatte ihm beschrieben, was über dem Eingang der Kirche stand – *Dio è l'amore e l'amore vince la morte.* Von ihm war kein Brief gekommen. Aber vielleicht hatte er ja doch geschrieben, und auf die italienische Post war mal wieder kein Verlaß, der Brief lag wahrscheinlich in Como, in Porlezza, vielleicht schickten sie die Post auch erst nach Mailand, ehe sie sie in die Provinz verteilten. Oder er hatte geschrieben und den Brief in seiner blauen Jacke vergessen, weil er seit Tagen nach einer Briefmarke suchte oder die helle Leinenjacke trug und die blaue mit dem Brief darin lag im Flur. Am Dienstag morgen nahm sie Geld, Schlüssel, Einkaufstasche und fuhr nach Lenno. Das Haus, gut abgeschlossen, schloß sie sofort noch einmal auf. Sie sah nach, ob sie nicht aus Versehen die Katze eingesperrt hatte, die sich jetzt schon manchmal zu ihr ins Zimmer wagte, und dann schrieb sie noch rasch einen Zettel und legte ihn auf die Matte vor der Tür, mit einem Apfel beschwert: «Richard! Wie schön, daß du da bist – ich bin in Lenno auf dem Markt und komme am späten Nachmittag zurück. Lisa.» War nicht alles möglich?

Der Markt, ein paar Dörfer weiter, zog sich am Seeufer unter Oleanderbäumen hin. Lachsfarben und weiß blühten sie bis weit in den Herbst, der inzwischen schon angebrochen war, und sie wünschte, sie könnte ihm einmal zeigen, wie schön es hier war. Sie hatte so oft das Bedürfnis, ihm etwas zu zeigen – schau mal, der Hund hat helle Augen, sieh nur, dort über der Eisdiele, die Lampe ist ein Eishörnchen, wie witzig, hast du das Plakat zur Ochsenausstellung gesehen, und hier, die Zeitungsschlagzeile: «O Gott – Bibel bei Eduscho!» Sie hatte das Gefühl, daß sie ihn mit ihren vielen Hinweisen, mit ihrem Guck mal und Hör mal und Schau doch überforderte, daß ihn das alles gar nicht interessierte, daß er ganz andere Dinge sah, die sie wiederum nicht bemerkte, daß sie aneinander vorbei hörten, sahen, lebten.

Der Markt fing mit einem langen Stand für Haushaltswaren an. Er gehörte einem jungen Mann, der überhaupt nicht italienisch aussah und sie an einen unsympathischen deutschen Fernsehmoderator erinnerte, der mit triefend langweiliger Stimme Interviews machte und ehrgeizig und besessen in allen dritten Programmen auftauchte. Sie mochte ihn nicht, und deshalb konnte sie auch an diesem Stand nur mit Widerwillen einen kleinen Schneebesen oder ein Küchenmesser kaufen.

Danach kamen die Schuhe, drei Stände mit den eleganten,

leichten italienischen Schuhen, die alle zu dünne Sohlen hatten und nicht einen Regen überstehen würden. In diesem Herbst wurden Lackballerinas in Schockfarben mit Schleifchen zum An- und Abknöpfen billig ausverkauft, der Schlager des verflossenen Sommers. Die Frau mit den blondgefärbten, hochtoupierten Haaren und der aus Wollresten in allen Schattierungen selbstgestrickten Jacke hielt ihr ein Paar in Rosa unter die Augen und nannte einen niedrigen Preis. Lisa konnte sich an ihren Füßen solche Gebilde nicht vorstellen, wer trug bloß so was? Ganz junge Mädchen vielleicht oder junge Mütter, die noch einmal mit Jungmädchenfüßen in fremden Gärten tanzen wollten, ein letztes Mal – sie dankte, lächelte und ging weiter zum Käsestand.

Sie kaufte immer bei diesem unermeßlich dicken Käsehändler, der eine junge Mitarbeiterin hatte, die seine Geliebte zu sein schien. Jedenfalls strahlten sich die beiden an und scherzten und lachten, wie es Ehepaare oder Vater und Tochter nicht gemacht hätten, und dafür, daß sie einfach nur seine Angestellte und sonst nichts gewesen wäre, lag zuviel Flirren und Flimmern und Flirten in der Luft.

Der Käsehändler ließ immer großzügig probieren. Mit einem kräftigen Messer säbelte er einen Schnitz Käse vom Fontina, vom Taleggio, ein Stückchen Grana, und zufrieden lächelte er, wenn es ihr schmeckte und sie von jedem eine Scheibe kaufte. «Immer noch allein?» fragte er, «ancora da sola?», und sie nickte, ja, ihr Mann hätte soviel Arbeit, aber er käme gewiß noch. Die Stimme, mit der sie das sagte, schien ihr wie eingerostet, und sie überlegte, daß sie seit dem letzten Dienstag so gut wie nicht gesprochen hatte – mal beim Brotkaufen, ein paar Worte mit der Katze, sonst hatte sie nichts geredet. Wie mochte der Käsehändler leben? Mit dieser kleinen Frau? Sicher nicht. Er hatte bestimmt eine Frau, die so dick war wie er, und er würde Söhne haben und einen Hund an der Kette, und er schwärmte für Juventus Turin und Raffaella Carrà, und in seiner Wohnung würde es säuerlich riechen, nach Parmesan, Ricotta und alter Milch.

Sie spürte, wie der Käsehändler ihr nachsah, als sie weiterging. Er würde denken: Sie ist zu dünn, sie ißt zuwenig Käse und Sahne, und es sei im Grunde kein Wunder, daß ihr Alter nicht käme, eine Schönheit sei sie ja nun wirklich nicht, *madonna*!

Am Speck- und Salamistand mußte sie aufpassen, daß sie überhaupt drankam. Da war ein solches Getümmel von Müttern, die noch zweihundert hiervon und dreihundert davon, aber dünn! dünn! kauften, alles ging durcheinander, und der Salamijüngling sang und scherzte und paßte nicht auf und bevorzugte seine Lieblinge, die guten jungen Kundinnen, denen er zuviel berechnen und dafür weniger abwiegen konnte, weil er ihnen in die Augen sah und ihren Blick von Kasse und Waage wegzog, da mußte sie sich sehr anstrengen, um bemerkt zu werden und ein bißchen Schinken zu kaufen. Ritsch, ratsch, klatsch ins Papier, schwupp, zugewickelt, in Sekundenschnelle gewogen, dreitausend Lire, die nächste Signora. Am Werkzeugstand das genaue Gegenteil. Umständlich, geduldig und genau erklärte ein alter, verwitterter Mann einem Bauern mit verarbeiteten Händen ein Gerät, von dem Lisa nicht mal wußte, was es war – es war rechtwinklig, aus Eisen, und hatte an der Seite ein drehbares Holzgewinde. Der Stand faszinierte sie, und sie hätte so gern Richard dabeigehabt, der nicht ungeschickt war, vieles selbst reparieren konnte und sicher Spaß an den Werkzeugen gehabt hätte. Ob er gesehen hätte, daß über der Kasse am Holzpfosten ein verblaßtes Bild von Papst Johannes XXIII. hing? Der hing hier überall, in allen Küchen und Geschäften, den hatten sie geliebt, «L'altro non abbiamo in casa», sagten sie abfällig über den jetzigen Papst, den *polacco di Roma*, wie sie ihn nannten, «den haben wir nicht im Haus». Jetzt kamen die häßlichen Gürtel, Portemonnaies, Ledertaschen. Eine Frau saß dabei, die immer und ununterbrochen aß. Lisa hatte sie noch nie ohne Schinkenbrötchen, Mandelhörnchen, Marmeladenkuchen gesehen, sie aß getrockneten Fisch und triefende Melonenscheiben, Karamellen, ein Stück Pizza, und einmal knabberte sie an einer Stange Rhabarber. Auch wenn interessierte Kunden stehenblieben, aß sie weiter, nannte mit vollem Mund Preise, zeigte mit ihren fettigen Fingern auf Beutel und Taschen und aß auch, wenn sie kassierte oder einwickelte.

Am nächsten Stand gab es alles für den Haushalt – Spülmittel und Bürsten, Trockentücher, Handfeger, Nähnadeln, Garn, Fingerhüte, Badezusätze, Haarklammern, Toilettenpapier. Hier kaufte Lisa immer irgend etwas, bei Zwillingsschwestern, die sich zum Verwechseln ähnlich sahen und graue Kittel und bunte Schals trugen. Solche Stecknadeln mit großen bunten Glasknöpfen gab es in Deutschland nicht mehr, und das Nähgarn war zu einem Zopf geflochten, aus dem man die benötigte Farbe vorsichtig herausziehen konnte. Die Zwillingsschwestern hatten einen Hund mit hellgrauen Augen, und sie sagte in Gedanken zu Richard: «Schau mal, der Hund hat helle Augen.»

Der Mann an dem Stand mit Jeans, Jeansröcken, Jeansjakken nickte ihr freundlich zu, sie hatte eine Jacke für Richard bei ihm gekauft, mit weißem Lammpelz gefüttert, und er hatte ihr erzählt, daß er mal in Deutschland war, Baden-Baden, *molto bello*, sehr schön. Die Sonne schien auf den See und ließ ihn aussehen wie eine glänzende Metallplatte. Nur da, wo ein paar Enten schwammen, bewegte sich das Wasser leicht, sonst war es ganz ruhig, als hielte der See den Atem an. Die

Luft flimmerte und die Sonne schien warm und am Himmel stand geschrieben: Vorbei! Vorbei.

Nach den Ständen mit Bettwäsche, Kopfkissen, Tagesdecken, mit Telefonen aus Onyx, Kamingittern, Glasketten sah sie endlich die herrlichen Obst- und Gemüsestände. Bei den Telefonen aus Onyx saß eine Frau und ließ sich die Sonne auf die Krampfadern scheinen. Sobald sich jemand näherte, der wie ein Tourist aussah, sprang sie auf, rief, man könne über alle Preise noch reden und sie habe auch Regenschirme im Angebot, ganz besonders billig. Lisa winkte ab und ging weiter, die Frau setzte sich wieder auf die Bank und murmelte Verwünschungen hinter ihr her.

Lisa kaufte Birnen, Weintrauben, ein paar Äpfel und einen roten Salat. Sie suchte langsam aus, redete ein bißchen mit den Händlern über Preise und Qualität, wie um zu üben, ob man sie noch verstünde, ob sie noch sprechen könne. «Sind die süß?» fragte sie bei den Äpfeln, und der große schöne Bauernsohn breitete die Arme aus wie Jesus am Kreuz und rief theatralisch: «Ma, signorina, non ci siamo dentro, wir stecken nicht drin!» und zwinkerte ihr zu. Sie lachte und packte die Äpfel in ihre Tasche. Er schenkte ihr eine Feige und machte eine Verbeugung, die linke Hand auf dem Herzen, ehe er sich genauso galant der nächsten Kundin, einem schrumpeligen Mütterchen, zuwandte.

Dienstag war der einzige Tag, an dem Lisa auswärts aß. Sie ging früh genug zu Plinio und suchte sich einen Ecktisch mit Blick auf den See, und für eine Stunde trug sie das Leben wie auf etwas dickerem Eis, ohne daß sie Angst hatte, vor ihr würde sich ein Abgrund auftun und sie könnte schon den nächsten Schritt nicht mehr ohne Lebensgefahr machen. Hier vergaß sie die Geräusche, auf die sie immer wartete und die ihr im Kopf klopften – das Fallen eines Briefes in den

Kasten, das Kratzen eines Schlüssels im Türschloß, das Klingeln des Telefons. Hier war draußen der stille, glänzende See, drinnen die summende Geschäftigkeit einer Marktkneipe am Mittag. Die Tür zur Welt war auf diesem Eckplatz am Fenster gleichzeitig offen und zu – Lisa sah vor sich ein stilles Land, das sie anzog, in das sie eintauchen und für immer sanft verschwinden könnte, und hinter ihrem Rücken ging das Leben weiter, laut und fröhlich, und wer nicht die kleinen Wellen gesehen hätte, ehe der See wieder still dalag, würde ihr Verschwinden gar nicht bemerken. Lisa riß sich los von ihren Träumen, sich einfach aufzulösen, zu verschwinden, und bestellte bei Plinio ein Essen. Plinio war groß, schlank, trug eine schneeweiße Schürze und tänzelte wie ein eleganter Kater zwischen den Tischen hindurch. Es gab keine Speisekarte, Plinio sagte auf, was man essen konnte, und er schloß die Augen, spitzte die Lippen und versicherte, alles sei *fatto in casa* und wunderbar und die Signora solle sich nur ganz und gar auf ihn verlassen bei den eingelegten Bohnen.

Sie verließ sich immer auf ihn, und es waren jedesmal herrliche Mahlzeiten, wenn sie auch nur wenig aß und zu Plinios Entsetzen meist Wasser statt Wein dazu trank – Wein, allein getrunken, machte sie traurig. Richard, warum hebst du nicht das Glas und prostest mir zu und rettest mich vor der Stille in mir? Sie nahm sich vor, nicht mehr so auf ihn zu warten, selbst wieder etwas zu tun, morgen abzureisen, endlich Musil fertig zu lesen, sich aus dieser Lethargie zu befreien, aber sie fühlte sich so müde, so kraftlos.

Wäre es besser, wenn sie ein Kind hätte? Er hatte nie Kinder gewollt, sie war zu lange unentschlossen gewesen. Es fehlte ihr auch jetzt nicht, aber vielleicht wäre ein Kind jemand gewesen, der auf sie gewartet hätte – so war es immer nur sie, die wartete. Worauf wartete sie, außer auf Richard?

Wenn du mich liebst, wird alles gut... Wenn sie als Kind Fieber hatte, träumte sie, in einem Tunnel zu stehen, der sie wirbelnd einsaugte, immer schneller, und das Licht am Ende wurde kleiner und kleiner. So kam es ihr auch jetzt vor, als würde das Licht um sie herum immer schwächer, und ihr fiel eine Zeile von Gottfried Benn ein: «Man möchte sich ein Stichwort borgen, allein – bei wem?»

Sie zahlte, ging, verstaute ihre Tasche und die Tüten im Auto. Ob er da war, wenn sie zu Hause ankam? Ob er an der Tür stand und rief: «Da bist du ja», und sie würden die Birnen und die Trauben zusammen essen? Ob er geschrieben hatte? Schon von weitem sah sie den Brief im Kasten. Ihr Herz klopfte zum Zerspringen. Nur jetzt keine Hektik, nichts überstürzen, ruhig Lisa, langsam, die Freude muß lange reichen. Wird es eine Freude sein?

Sie trug die Tasche und die Tüten ins Haus. Sie holte den Brief, goß sich ein Glas Wein ein. Der Brief war leicht. Lisa zündete sich eine Zigarette an und setzte sich auf den Stuhl mit Blick auf den Berg gegenüber, der immer eine Schneemütze trug, Monte Cappuccino nannte sie ihn. Seine fahrige Schrift.

Im Umschlag ein kleines, zusammengefaltetes Stück Papier: «Brief folgt. Kuß, Richard.»

Ehe denn der Hahn dreimal kräht. Sie dachte an den Judaskuß, und daß Verrat über Jahrtausende immer gleich funktioniert. Sie dachte an die flüchtigen Küsse, die man den Eltern gab zum Abschied, in Gedanken schon ungeduldig weit weg von ihnen, an die Begrüßungsküsse auf Parties, an hingehauchte, sinnlose Telefonküsse. Kuß, Richard.

Sie fühlte sich so müde wie noch nie in ihrem Leben und schaute diese vier Worte an. Der Kuß war schon da, der Brief würde niemals folgen, und es interessierte sie nicht mehr, was darin gestanden hätte, sie wollte jetzt schlafen und nichts mehr denken. Sie stand sehr langsam auf, stellte den Stuhl an den Tisch zurück. Den Brief legte sie auf die Fensterbank, das Glas mit den Rosen stellte sie darauf, damit der flüchtige Kuß nicht davonflog. Sie trank ein Glas Wasser und es schmeckte bitter, und dann legte sie sich ins Bett. Im letzten Augenblick schleppte sie sich noch einmal durch alle Räume, sah nach, ob die Katze draußen war, verschloß die Türe, drehte das Gas ab. So einfach war das alles. Jetzt käme auch das Stichwort zu spät.

Der Obduzent

91 UJs 741/81 in der Leichensache Bräuker, Lisa.
A. Äußere Besichtigung
1. Die Leiche ist mit einem geblümten Rock, schwarzem T-Shirt und weißem Slip bekleidet.
2. Die Leichenstarre in Lösung begriffen, in den Beinen teilweise ausgeprägt.
3. Deutliche grüne Verfärbung des Körperstammes unter Ausschluß der Brüste. Deutlicher Fäulnisgeruch wahrnehmbar.
4. Körpergewicht 50 kg, Körperlänge 169 cm.
5. Bis zu 15 cm langes, dunkelbraunes kräftiges Haupthaar. An der behaarten Kopfhaut äußerlich keine Verletzungen, keine Knochenverschieblichkeiten erkennbar. Im Bereich der Stirn und des Gesichts ebenfalls keine Verletzungen erkennbar.
6. Die Augen leicht geöffnet, deutliche Verminderung der Augapfelfestigkeit. Sehlöcher rund, etwa 5 mm im Durch-

messer, Augenregenbogenhaut bläulich-grünlich. Im Bereich der weißen Augenbindehäute sind keine Verletzungen und keine Einblutungen erkennbar.

7. Nasengerüst regelrecht gefügt. Keine Verletzungen. In den Nasenlöchern bräunlicher Inhalt mit schaumigen Auflagerungen, die sich auf die rechte Wange streifenförmig bis zum Ohr erstrecken.

8. Beide Ohren regelrecht gebildet.

9. Der Mund leicht geöffnet. Lippen blaß. Im Bereich des rechten Mundwinkels eingetrocknete, schaumige weißlich-gelbe Flüßigkeit, die nach rechts abgeronnen ist. Zunge zurückgesunken.

10. Der Hals weist keine Auffälligkeiten vor, er ist nicht regelwidrig beweglich.

11. Brust und Bauch bilden ein Niveau. Brustkorb nicht regelwidrig beweglich. Die Brüste regelrecht gebildet. Aus den Brustwarzen entleert sich keine Flüssigkeit.

12. Im Bereich des rechten Oberbauchs eine bogenförmig verlaufende etwa 8 cm lange Narbe. Sonst im Bereich des Bauchs keine Verletzungen erkennbar.

13. Das äußere Geschlechtsteil regelrecht gebildet, regelrechter Schambehaarungstyp.

14. Der After ist sauber.

15. Die oberen Gliedmaßen von regelrechter Beweglichkeit. Deutliche grünliche Verfärbung der Oberarme mit Durchzeichnung des Venennetzes. Frische Spritzeinstichstellen sind nicht erkennbar. Die unteren Gliedmaßen ebenfalls regelrecht gebildet, ohne äußere Verletzungen.

16. Der Rücken ist grünlich verfärbt unter Aussparung der Aufliegeflächen.

B. Innere Besichtigung
I. Schädelhöhle.
17. Die weichen Schädeldecken ohne Einblutungen, das knöcherne Schädeldach intakt. Die harte Hirnhaut bedeckt die Großhirnwölbung glatt gespannt. Keine Blutung im Bereich des Schädelinnenraums. Das Gehirn füllt den Schädelinhalt voll aus. Beide Hirnhälften etwa seitengleich, regelrechter Windungszug. Die Windungen erscheinen leicht verbreitert. Die weichen Häute zart und durchsichtig, deutlich vermehrte Gefäßzeichnung in den weichen Häuten. Teigig weiche Beschaffenheit des Gehirns, Hirngewicht 1600 g.
18. Nach Abtrennung des Kleinhirns zeigt sich auf den Schnittflächen eine regelrechte Gewebszeichnung, keine Blutungen. Auf Frontalscheiben durch das Gehirn regelrechte Verteilung der grauen und weißen Anteile. Die Hirnrinde nicht verbreitert. Regelrechte Zeichnung der großen Kerne, regelrechte Weite der klares Nervenwasser enthaltenden Hirnkammern. Das Mark weiß, flüssigkeitsreich. Schlagadernkranz am Hirngrund regelrecht angelegt, die Gefäße mit zarter Wandung, stark mit Blut gefüllt.
19. Knöcherner Schädelgrund mit harter Hirnhaut ohne Verletzungen. Trommelfelle intakt.

II. Brust- und Bauchhöhle.
20. Die Fettschicht in den Bauchdecken knapp 0,5 cm stark, mäßig kräftige Ausbildung der Bauchmuskulatur und der Brustkorbmuskulatur. Nach Entnahme des Brustbeins liegen die Lungen zurückgesunken in ihren Höhlen, sie sind nicht fixiert. In beiden Brusthöhlen findet sich etwas rote Fäulnisflüssigkeit. Das Herz liegt unauffällig konfiguriert im mäßig fettbewachsenen Herzbeutel, Herzbeutelblätter glatt.
21. Vor Entnahme der Organe wird der Magen unterbunden.

22. Zunge unverletzt, keine Einbisse oder Zahneindruckstellen. Die Zungenschleimhaut mißfarben graugrünlich verfärbt, besonders am Zungengrund. Kehlkopfeingang frei. Speiseröhre leer. Schilddrüse zweilappig, Lappen nicht vergrößert, Schnittflächen unauffällig.

In der Luftröhre mißfarbene schwärzlichgrüne Flüssigkeit. In den beiden Hauptlungenästen geht die Verfärbung in Dunkelrot über. Aus beiden entleert sich mißfarben rötliche, etwas schmierige Flüssigkeit.

23. Die Lungen insgesamt schwer, Lungenfell zart, es scheinen reichlich stecknadelkopfgroße, teilweise in Gruppen zusammenstehende Blutpünktchen durch. Die tastende Hand spürt im rechten Oberlappen eine allgemeine Verdichtung, besonders in den hinteren Anteilen. Die vorderen Anteile lufthaltig, teilweise leichte Blasenbildung und erhabene Felderung.

24. Das Herz kaum größer als die Leichenfaust. Herzaußenhaut zart. Die rechten Herzhöhlen deutlich schlaff und weit. Die Herzhöhlen enthalten etwas schmieriges, schwarzrotes flüssiges Blut, auf der rechten Seite auch Leichengerinnsel. Die Herzinnenhaut düsterrot verfärbt, ebenfalls die Gefäßinnenhaut. Das Balkenwerk abgeplattet. Herzkranzgefäße mit regelrechtem Abgang ohne Lichtungseinengungen oder Verschlüsse. Das Herzmuskelfleisch mißfarben dunkelrot, mürbe zerreißlich.

25. Die Leber von gewohnter Form und Größe. Lebergewicht 1040 g.

26. Die Milz etwa handtellergroß, die Gallenblase fehlt.

27. Der Magen enthält etwa 140 ccm flüssigen Verdauungsbrei. Bei längerem Stehen scheinen sich feinflockig griesartige Bestandteile abzusetzen. Die Magenschleimhaut deutlich gallig verfärbt.

28. Die Bauchspeicheldrüse von gewohnter Form und Größe.
29. Kein nennenswertes Fettlager der Nieren. Die Nieren leicht zu entkapseln. Das Nierenbecken mit graurötlicher Schleimhaut, ohne ungehörigen Inhalt.
30. Die Nebennieren etwa Ein-Mark-Stück-groß, mit deutlicher Schichtenbildung. Das Mark erweicht, die Rinde als schmaler gelblicher Saum erkennbar.
31. Die Harnblase schlaff erweitert, enthält etwa 12 ccm gelblichtrüben Urin. Die Schleimhaut blaß.
32. Die inneren Geschlechtsorgane ohne Besonderheiten. Der Mastdarm enthält einen fast faustgroßen festen Kotballen.

C. Vorläufiges Gutachten.
Die Leichenöffnung hat ergeben:
Leiche einer jungen Frau mit den Zeichen der fortgeschrittenen Fäulnis der äußerlichen Hüllen und der inneren Organe. Stauungsblutfülle der Hirngefäße, Hirnödem. Schlaffe Erweiterung der regelrechten Herzhöhlen bei fäulnisbedingter Muskelerschlaffung.
Die Obduzenten haben erfahren, daß diese etwa 35jährige Frau seit dem 26.9.1981 nicht mehr gesehen wurde. Sie wurde am 1.10.81 tot durch den Ehemann aufgefunden.
Die Leichenöffnung hat eine Todesursache aus krankhaften Gründen bzw. entsprechende Organveränderungen nicht erkennen lassen. Bei dieser Sachlage muß an eine Vergiftung gedacht werden. Der Mageninhalt ist nicht ganz eindeutig, ein sich absetzender mißfarben grauer, feingriesartiger Satz könnte jedoch für Tablettenreste sprechen.
Zur weiteren Klärung wurden Urin, Mageninhalt und Organstücke für eine chemische Untersuchung zurückbehalten, weiterhin Blut und Urin zur Alkoholbestimmung und Organ-

stücke der wichtigsten Organe für eine feingewebliche Untersuchung.
Unterschrift. Datum. Stempel.

Richard

Das Schlimmste war gewesen, die Matratze zu verbrennen. Er war schon gegen sechs Uhr früh damit zur Müllkippe gefahren, ein Arbeiter hatte ihm gezeigt, wo er Feuer machen durfte. Er saß dabei, bis alles verbrannt war und die stinkenden schwarzen Rauchwolken langsam abzogen, und er versuchte, irgend etwas zu fühlen: Trauer, Reue, Scham, Verzweiflung, Liebe, Ratlosigkeit – aber da war nichts. Er fühlte nichts und sah den Ratten zu, die sich in der Sonne auf einem Stück Blech putzten. Er rauchte eine Zigarette und dann noch eine, und dann stand er auf und reckte sich und schüttelte seine steifgewordenen Beine. Wenigstens, dachte er, haben wir in diesem Bett nie zusammen geschlafen, und plötzlich kam die Trauer wie ein Schlag mit einem schweren Gegenstand, wie ein Hieb durch die Brust, und als hätte sich die schwarze Matratzenwolke auf ihn gesenkt, konnte er für einen Augenblick nicht mehr atmen. Er fühlte das Bedürfnis, zu den glimmenden Matratzenresten zu laufen, seinen Kopf hineinzugraben und zu schluchzen. «Es tut mir so leid, so leid», weinte er, ohne Tränen. Er war zu spät gekommen. Oder sie war rechtzeitig gegangen, um nicht hören zu müssen, was er ihr hatte sagen wollen.

Er steckte dem Arbeiter 5000 Lire Trinkgeld zu und ging, ohne sich umzudrehen. Er wollte jetzt nicht zurück in das spießig eingerichtete kleine Haus, dessen Besitzer, in Panik geraten über die Zwischenfälle, heute angereist kämen. Lisas Sachen konnte er morgen zusammenpacken. Er wußte auch nicht, was er in dem schmalen, kühlen Hotelzimmer hätte tun sollen, und so fuhr er – es war ein schöner Herbsttag – die stark befahrene Uferstraße am See entlang, ohne Ziel.

In einem Ort war Markttag. Er parkte das Auto und bummelte über die Straße zu den ersten Ständen, die sich am See entlangzogen. Der Kerl am Haushaltswarenstand erinnerte ihn an jemanden – dieses blasierte fade Gesicht, wo hatte er das schon gesehen? So was wußte Lisa immer. Dauernd sagte sie: der erinnert mich daran, der erinnert mich an den, sieh mal da, wie Soundso. Das war ihm manchmal auf die Nerven gegangen, aber daß er es nun nie wieder hören würde... Als er ins Haus gekommen war und sie gefunden hatte, war ihm schlecht geworden. Er war in den Garten gelaufen und hatte sich übergeben müssen, und dann hatte er sich kaum wieder hineingewagt, um die Polizei anzurufen. Bis sie eintraf, hatte er in der Tür gestanden und Lisa angesehen, wie sie dalag, in dem fremden Haus, auf dem fremden Bett, und eine kleine graue Katze war ihm um die Beine gestrichen. Er hatte sich sehr erschrocken und sie verjagt, und ehe die Polizei kam, hatte er Lisas Tagebuch vom Tisch genommen und in seine Reisetasche gesteckt. Er hatte es kurz aufgeschlagen – «Wenn du mich liebst, wird alles gut» stand da als erster Satz, und er hatte es zugeklappt und gewußt, daß er es nicht lesen würde. Er hätte es zusammen mit der Matratze verbrennen sollen.

Eine Frau mit blonden, hochtoupierten Haaren und einem unmöglichen Pullover verkaufte Schuhe und hielt ihm ein Paar rosa Lackballerinas unter die Nase, nur 20000 Lire, Sommerschlußverkauf. Das war was für Marietta, die bestimmt erwartete, daß er ihr aus Italien etwas mitbringen würde. Sie hatte gemault und wäre gern mitgefahren, «ich kann mich doch im Hotel verstecken», hatte sie gesagt, «und wenn du ihr alles gesagt hast, fahren wir beide noch ein bißchen durch die Gegend». Aber er wollte allein fahren, Lisa hatte einen sechsten Sinn für solche Sachen, sie hätte sofort gemerkt, daß jemand mit ihm gekommen war. Er hatte sich vorgenommen, einen Tag zu bleiben, zu sagen, Lisa, es ist aus mit uns, ich möchte mich von dir trennen, habe mich schon getrennt, du kannst zurückkommen in die Wohnung, ich bin ausgezogen, ich lebe bei einer anderen Frau. Sie hätte geweint, er wäre noch ein wenig bei ihr gesessen und dann wieder abgereist. So hatte er sich das gedacht.

Er kaufte die rosa Ballerinas mit Schleife in Größe 38. Lisa hatte Größe 38, und Marietta hatte ungefähr Lisas Figur, die würden ihr sicher passen. Und wenn nicht, davon ginge die Welt nicht unter, irgendeiner Frau paßten sie schon.

Vom Käsestand aus winkte ihn ein dicker Käsehändler mit einem Messer heran, auf dessen Spitze ein Stück Käse zum Probieren steckte. Richard schlenderte näher, nahm es, weil er mit nachdrücklichem Kopfnicken dazu aufgefordert wurde, kaufte aber nichts. Er zuckte bedauernd mit den Schultern, «Tourist», sagte er, «Hotel». Der Käsehändler lachte und winkte ab, schon gut, *non fa niente*, guter Käse, *formaggio buono, nostrano*, von hier. Seine Frau war schmal und zartgliedrig, wie schliefen die beiden bloß miteinander? Er hatte mit Lisa sicher seit einem Jahr nicht mehr geschlafen. Er hatte immer Angst davor gehabt, sie würde plötzlich doch noch schwanger werden. So viele Frauen versuchten ihre ihnen entgleitenden Männer zu halten, indem sie auf einmal ein Kind bekamen. Er war auf der Hut gewesen und ihr ausgewichen, und sie war immer stiller geworden und hatte irgendwann das zweite Kopfkissen aus dem Schlafzimmer in sein Arbeitszimmer gelegt, wo er seit Monaten allein schlief. Es wurde nie geredet über solche Dinge, sie ereigneten sich einfach.

Am Stand mit den Werkzeugen blieb er lange stehen. Ein alter Mann saß da und rauchte und hatte immer noch ein Bild von Johannes XXIII. dort hängen, dabei waren seitdem schon zwei neue Päpste gewählt worden. Zwei? Einer? Er kannte sich da nicht so aus, erinnerte sich nur daran, wie Lisa, als der jetzige Papst in Kolumbien landete, auf den Fernseher gezeigt hatte: «Sieh mal, wie sein Jumbo-Jet heißt!» Er hieß «Hirte 1» - solche Sachen fielen ihr auf. Marietta war ganz anders. Quirlig, lustig, ein wenig unbedarft, Marietta ließ sich die Welt von ihm zeigen, so wie er sie sah. Sie war gerade Anfang Zwanzig, und sie konnte noch über alles staunen. Das machte ihm Spaß, er fühlte sich jung mit ihr, jünger als Vierzig jedenfalls.

Die Werkzeuge waren von guter Qualität und phantastisch billig. Er suchte sich einen Schraubenschlüssel aus, den er schon lange brauchte. «Wie heißt das auf italienisch?» fragte er den Mann, und der antwortete: «Inghlese. Questo è un inghlese.» - «Francese!» sagte Richard. «Franzose!» - «Inghlese!» wiederholte der Mann, Engländer, und sie lachten beide. Er kaufte den Schraubenschlüssel und schlenderte weiter zu einem Stand mit einer hübschen jungen Frau in einem grauen Kittel und einem grünen Schal. Er lächelte ihr zu und sah dann ihren schönen Hund, einen Hund mit hellen Augen. «Schönes Tier», wollte er sagen, sah hoch zu ihr, und da stand sie und trug einen blauen Schal. Das gab's doch nicht, sie konnte doch nicht in drei Sekunden - er sah die andere, merkte, daß es Zwillinge waren und lachte verblüfft. Sie lachten ebenfalls, und er ging weiter und fand an einem Stand genau die Jeansjacke mit weißem Lammfellfutter, die er im Haus im Schrank noch ganz neu und mit Preisschild hatte liegen sehen. So eine wollte er schon lange haben, er würde sie sich hier kaufen, die im Schrank gehörte sicher Ute oder Walter. Der kleine dicke Händler sprach ein paar Worte deutsch. «Ich Deutschland», rief er, «schön, Baden-Baden, fickfick, Puff gut, Baden-Baden, teuer teuer!» Richard bestätigte ihm, daß Baden-Baden nun wirklich besonders teuer wäre, er hätte nach Karlsruhe in den Puff fahren sollen, *meno caro*, weniger teuer, Baden-Baden *casino, therme, caro caro!* «Sisi», nickte der Kleine, «Puff caro, fickfick caro, però bello.» Er machte ihm für die Jacke einen guten Preis, und von dem, was er gespart hatte, kaufte Richard am Stand nebenan, wo es diese gräßlichen Telefone aus Onyx gab, eine geschliffene Glaskette für Marietta. Er ertappte sich bei dem Gedanken an Lisas Schmuck – die alte Goldkette seiner Mutter, die Schweizer Armbanduhr, die Ringe, das Granatarmband – wer würde das jetzt tragen? Marietta? Lisas Schwester? O Gott, was ihm noch alles bevorstand über die üblichen Formalitäten hinaus! Ihre Kleider, ihre Schuhe, ihre Bücher, Bilder, Photos, ihre persönlichen Papiere – was machte man damit? Ein Mensch verfaulte und verfiel, aber seine Dinge blieben.

Richard ging in ein Restaurant und trank an der Bar einen Espresso und einen Grappa. Der Kellner sah affig und eingebildet aus, und es gab keine Speisekarte, sonst hätte er hier vielleicht eine Kleinigkeit gegessen. Aber Richard haßte Lokale ohne Karte und hatte immer das Gefühl, man würde dort auf irgendeine Weise übers Ohr gehauen. Er suchte nach Streichhölzern, hatte er die auf der Müllkippe vergessen? In der Innentasche seiner blauen Jacke, die er lange nicht getragen hatte, fand er einen Brief an Lisa. Er hatte ihn ganz am Anfang, nachdem sie abgereist war, an sie geschrieben und dann nicht abgeschickt, es stand sowieso nichts Vernünftiges drin, langweiliger Alltagskram, er war kein großer Briefschreiber, und es gab nichts, was er ihr hätte sagen wollen oder müssen – außer das mit Marietta, aber nicht im Brief. Er hatte Angst gehabt, sie würde sich etwas antun, so allein da unten in einem fremden Haus. Deshalb war er lieber selbst hingefahren, um es ihr an Ort und Stelle zu sagen, und so wäre es auch gewiß besser gewesen. Wenn sie nicht vorher schon, auf ihre stille Weise, fortgegangen wäre.

Einer geht fort, dachte er, und einer kommt. Und er trank noch einen Grappa und freute sich auf Marietta und auf das Kind.